Español

Segundo grado RECORTABLE

Español. Segundo grado. Recortable fue elaborado por el Programa Nacional para el Fortalecimiento de la Lectura y la Escritura en la Educación Básica, con la colaboración de la Dirección General de Materiales y Métodos Educativos, actualmente Dirección GeneraldeMateriales Educativos, de la Subsecretaría de Educación Básica.

Autores
Margarita Gómez Palacio
Laura V. González Guerrero
Gregorio Hernández Zamora
Elia del Carmen Morales García
Beatriz Rodríguez Sánchez
María Beatriz Villarreal González
Zoila Balmes Zúñiga
Ana Rosa Díaz Aguilar
Mariela Grimaldo Medina
Laura Silvia Iñigo Dehud
Lucía Jazmín Odabachian Bermúdez
María Esther Salgado Hernández
Elizabet Silva Castillo

Coordinación editorial
Elena Ortiz Hernán Pupareli

Cuidado de la edición
José Manuel Mateo Calderón
María Elia García López

Supervisión técnica
Alejandro Portilla de Buen

Portada
Diseño: Comisión Nacional de Libros de Texto Gratuitos
Ilustración: *Aguas frescas,* 1952
Óleo sobre tela, 100 × 100 cm
Jorge González Camarena (1908-1980)
Reproducción autorizada: Comisión Nacional
de Libros de Texto Gratuitos
Fotografía: Javier Hinojosa

Servicios editoriales
CIDCLI

Coordinación editorial e iconográfica:
Patricia van Rhijn Armida
Rocío Miranda

Ilustración:
Martha Avilés (lección 6)
Irina Botcharova (lecciones 5, 20, 28, 35)
Gloria Calderas (lecciones 3, 10, 15, 36)
Blanca Dorantes (lección 4)
Elvia Esparza (lecciones 18, 26)
Mauricio Gómez Morin (lección 11)
Claudia Legnazzi (lecciones 1, 12, 17, 25)
Mónica Márquez (alfabeto móvil)
Leonid Nepomniachi (lecciones 7, 22, 30, 34)
Ricardo Radosh (lecciones 8, 13, 19, 33)
Maribel Suárez (lección 24)
Tané, arte y diseño (lecciones 2, 9, 23, 32, 38, 39)
Felipe Ugalde (lecciones 27, 37)
Otros créditos de imagen se consignan en el libro
Español. Segundo grado. Actividades

Diseño:
Rogelio Rangel
Annie Hasselkus
Evangelina Rangel

Reproducción fotográfica:
Rafael Miranda

Primera edición, 1998
Cuarta edición, 2001
Séptima reimpresión, 2008 (ciclo escolar 2009-2010)

ISBN 978-970-18-6818-8 (Obra general)
978-970-18-6821-8

Impreso en México

Español. Segundo grado. Recortable
Se imprimió por encargo de la
Comisión Nacional de Libros de Texto Gratuitos,
en los talleres de Litografía Magno Graf, S.A. de C.V.,
con domicilio en Calle E No. 6,
Parque Industrial Puebla 2000,
C.P. 72220, Puebla, Pue.,
el mes de diciembre de 2008.
El tiraje fue de 2'871,750 ejemplares.

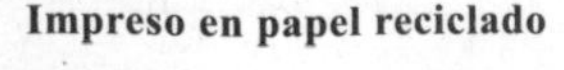

Impreso en papel reciclado

	a	a	a	a	a	a	a
	b	b	b	c	c	c	d
	d	d	e	e	e	e	e
e	e	f	f	f	g	g	g
h	h	h	i	i	i	i	i
i	j	j	j	j	k	k	k
l	l	l	l	l	l	m	m
m	m	m	m	n	n	n	n
n	n	ñ	ñ	ñ	o	o	o
o	o	o	p	p	p	p	p

	p	q	q	q	r	r	r
	r	r	r	s	s	s	s
	s	s	t	t	t	t	t
t	u	u	u	u	u	u	v
v	v	w	w	x	x	x	x
x	x	y	y	y	y	y	y
z	z	z	a	a	a	e	e
e	i	i	i	o	o	o	u
u	u	c	c	l	l	m	m
n	n	p	p	r	r	s	s

Tiempo de escribir

	a	a	a	a	a	a	a
	b	b	b	c	c	c	d
	d	d	e	e	e	e	e
e	e	f	f	f	g	g	g
h	h	h	i	i	i	i	i
i	j	j	j	j	k	k	k
l	l	l	l	l	l	m	m
m	m	m	m	n	n	n	n
n	n	ñ	ñ	ñ	o	o	o
o	o	o	p	p	p	p	p

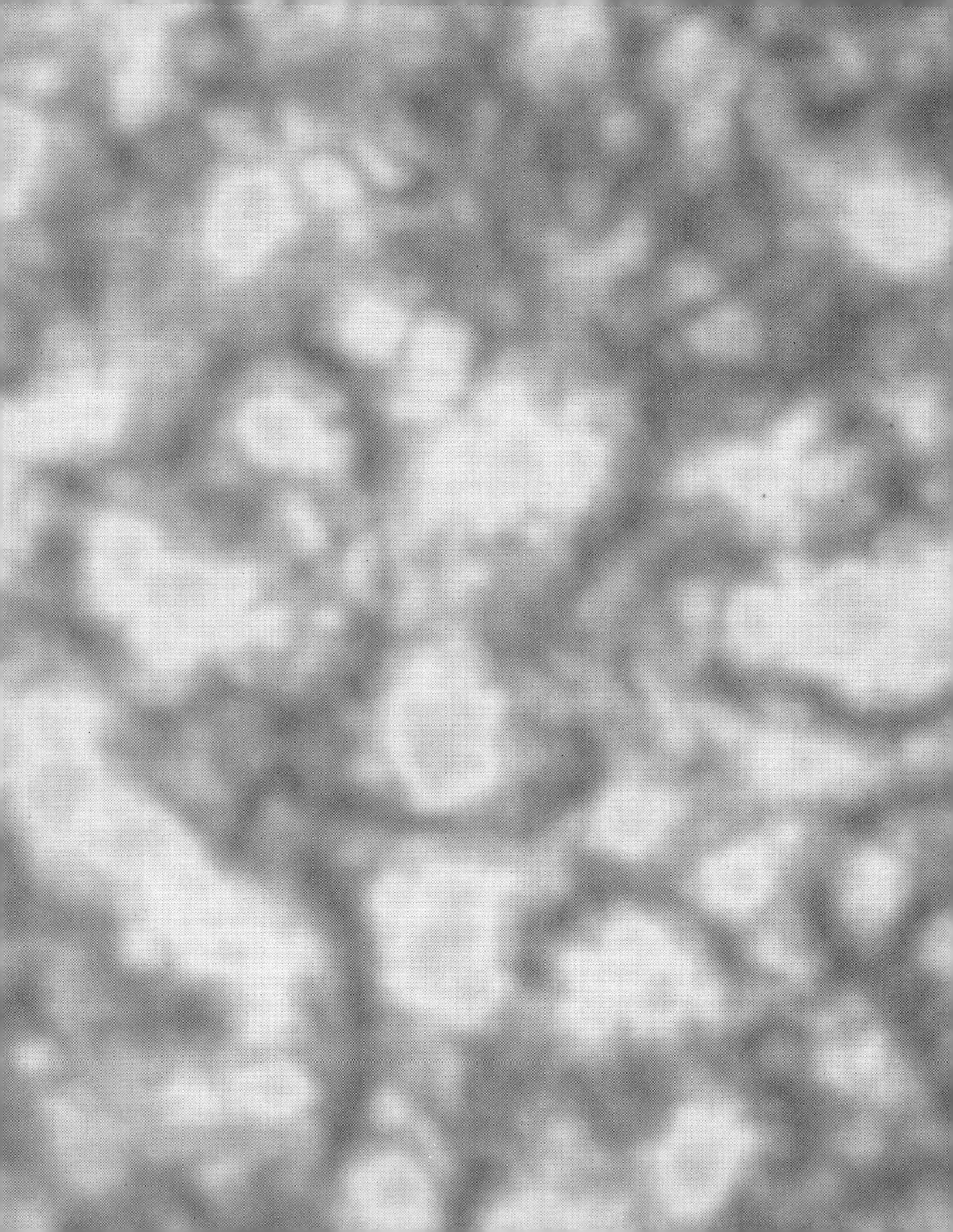

	p	q	q	q	r	r	r
	r	r	r	s	s	s	s
	s	s	t	t	t	t	t
t	u	u	u	u	u	u	v
v	v	w	w	x	x	x	x
x	x	y	y	y	y	y	y
z	z	z	W	W	X	X	X
Y	Y	Y	Z	Z	Z		

Tiempo de escribir

	A	A	A	A	B	B	B
	B	C	C	C	C	D	D
	D	D	E	E	E	E	F
F	F	G	G	G	H	H	H
I	I	I	J	J	J	K	K
L	L	L	L	M	M	M	M
N	N	N	O	O	O	O	P
P	P	P	Q	Q	Q	R	R
R	R	S	S	S	S	T	T
T	T	U	U	U	V	V	V

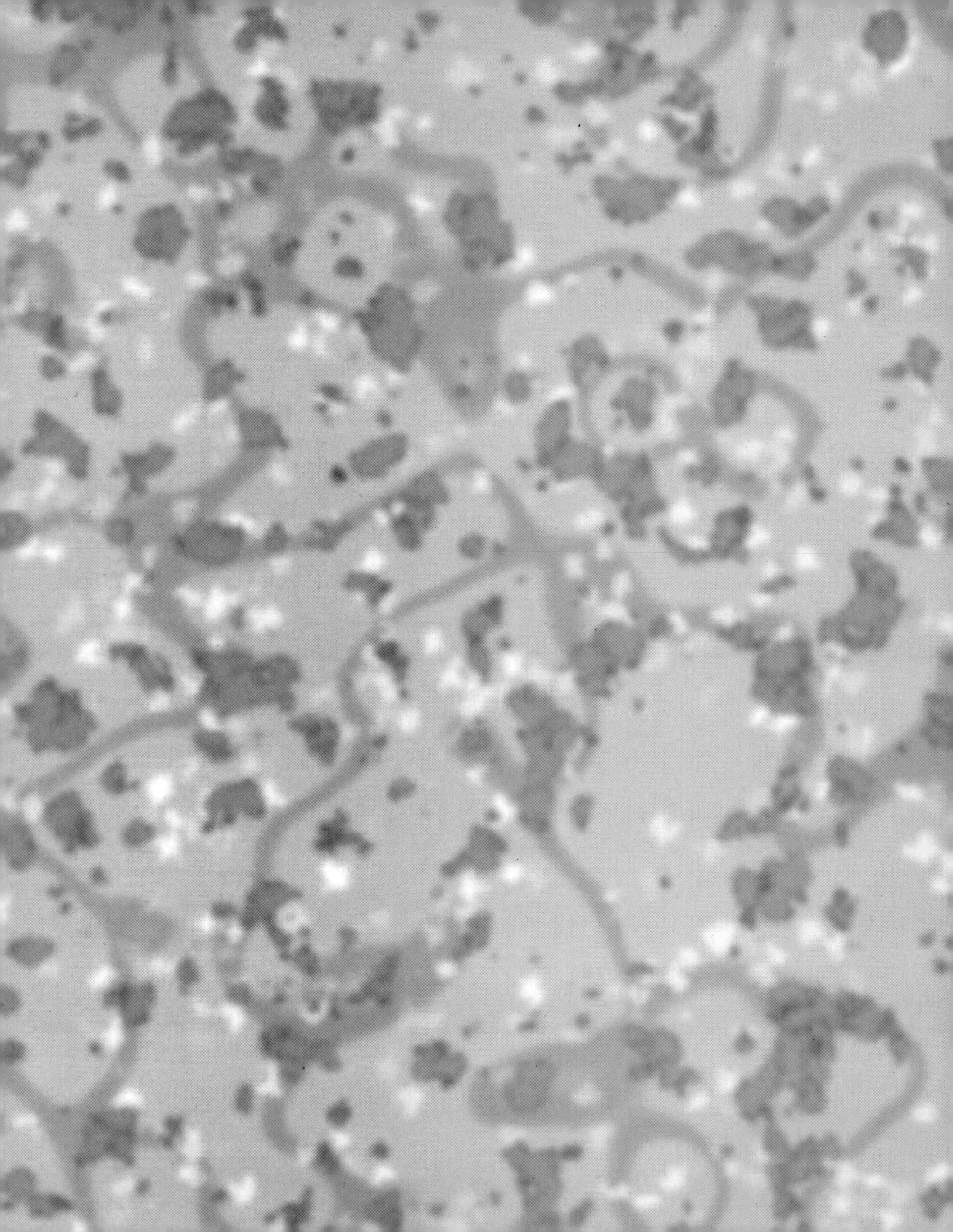

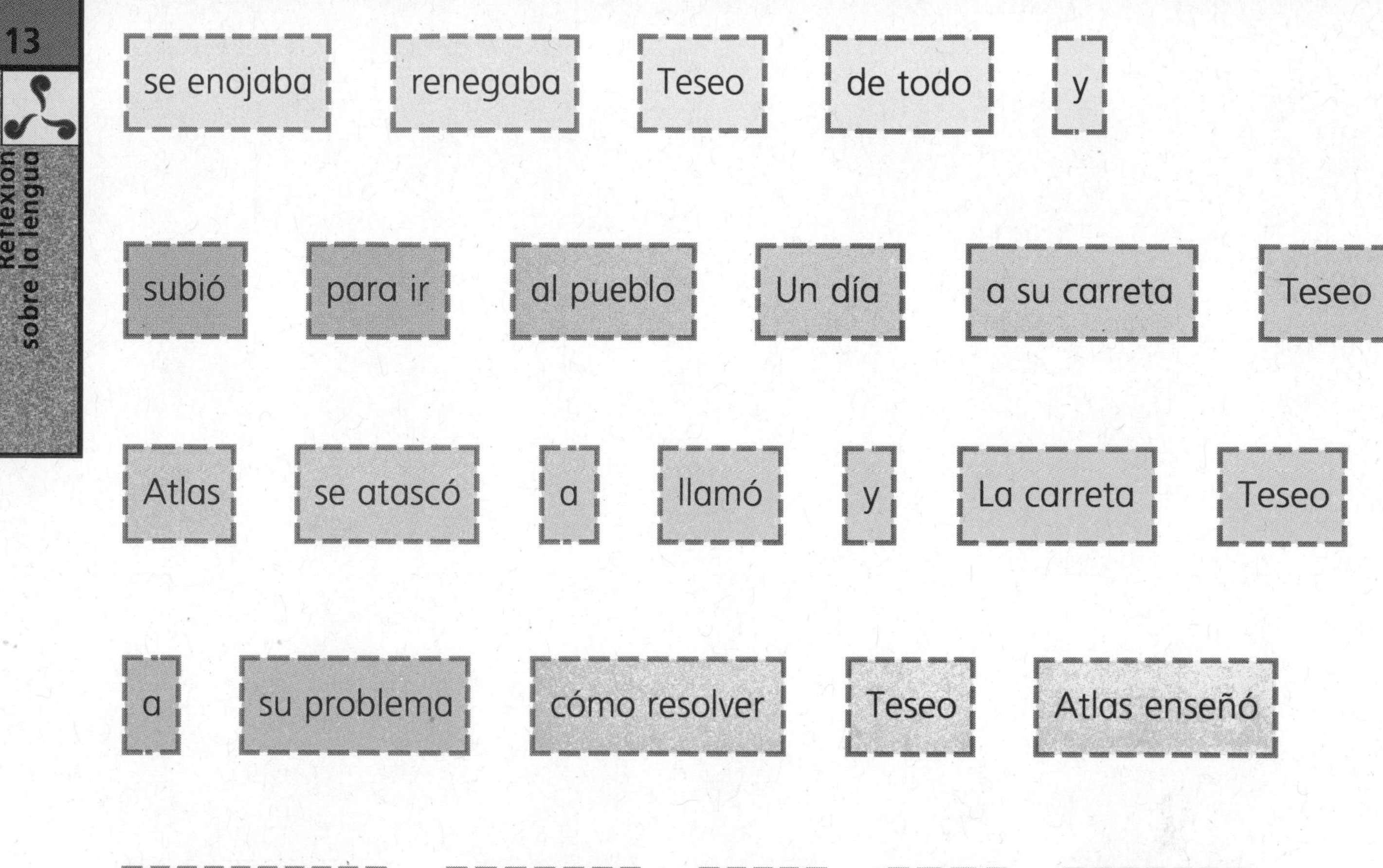
se enojaba
renegaba
Teseo
de todo
y
subió
para ir
al pueblo
Un día
a su carreta
Teseo
Atlas
se atascó
a
llamó
y
La carreta
Teseo
a
su problema
cómo resolver
Teseo
Atlas enseñó

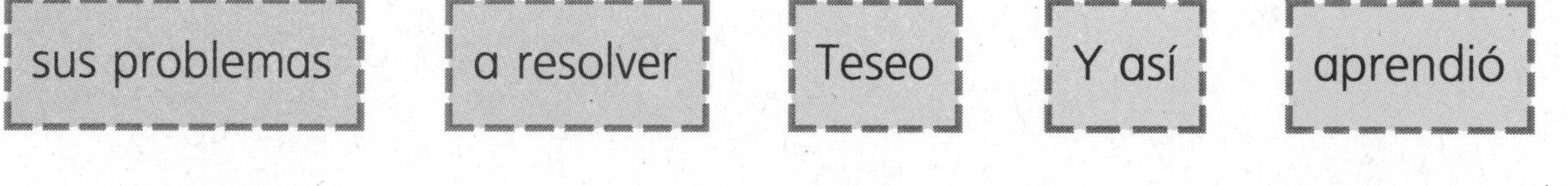
sus problemas
a resolver
Teseo
Y así
aprendió

HECHIZOS

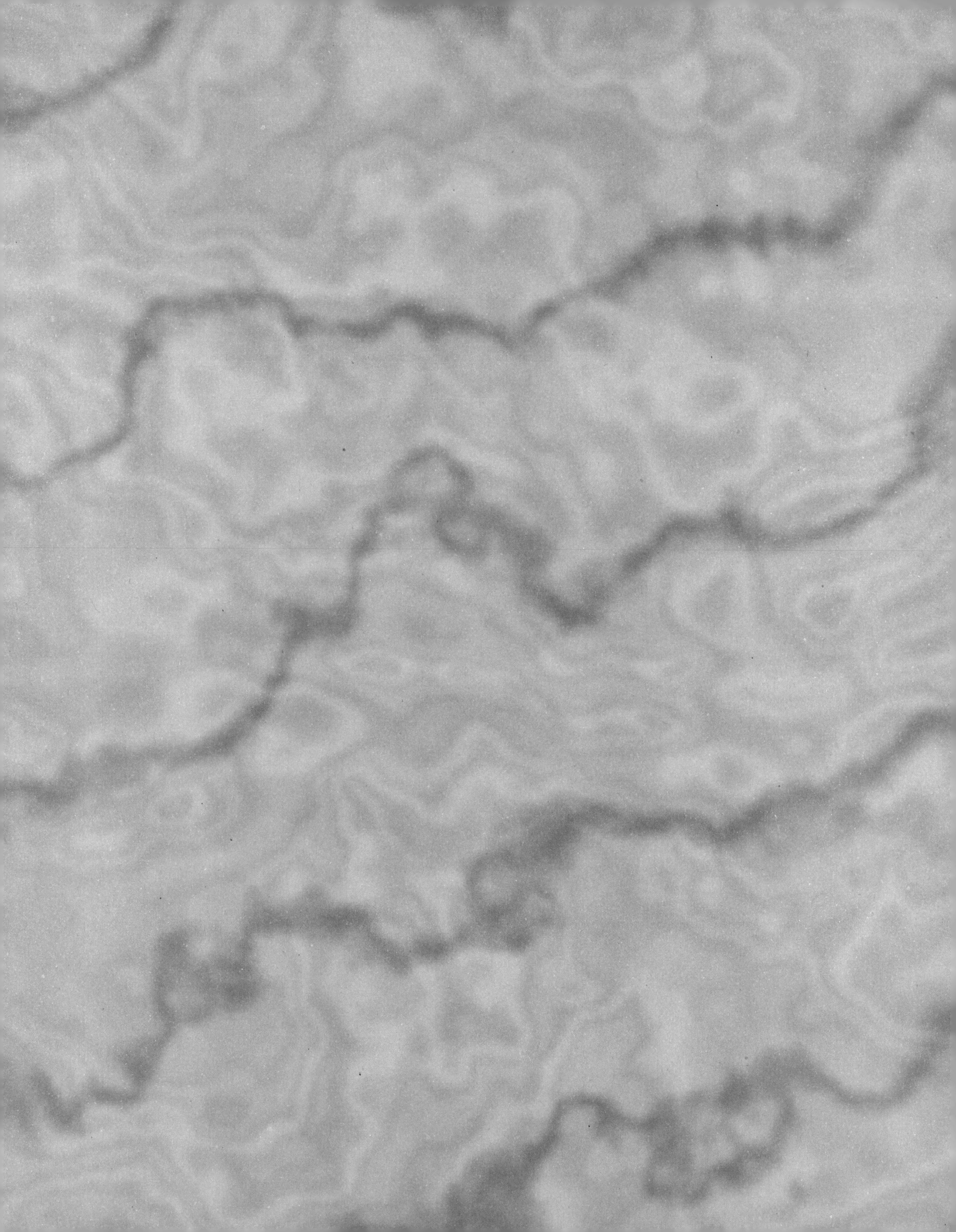

Salida
Lugar que más te gustaría visitar.
Tu deporte favorito.
Lo que menos te gusta hacer.
Tus programas favoritos de TV.
Programas de TV que no te gustan.
Pide a alguien que diga cómo es su casa.
Lo que más te gustaría aprender.
Di un trabalenguas.
Lo que más te gusta de ti.
Saluda de mano a todos los del equipo.
Pregunta a tu maestro qué hace en las tardes.
Di tu domicilio completo.
Lo que más te hace reír.
Nombre de una película muy emocionante.

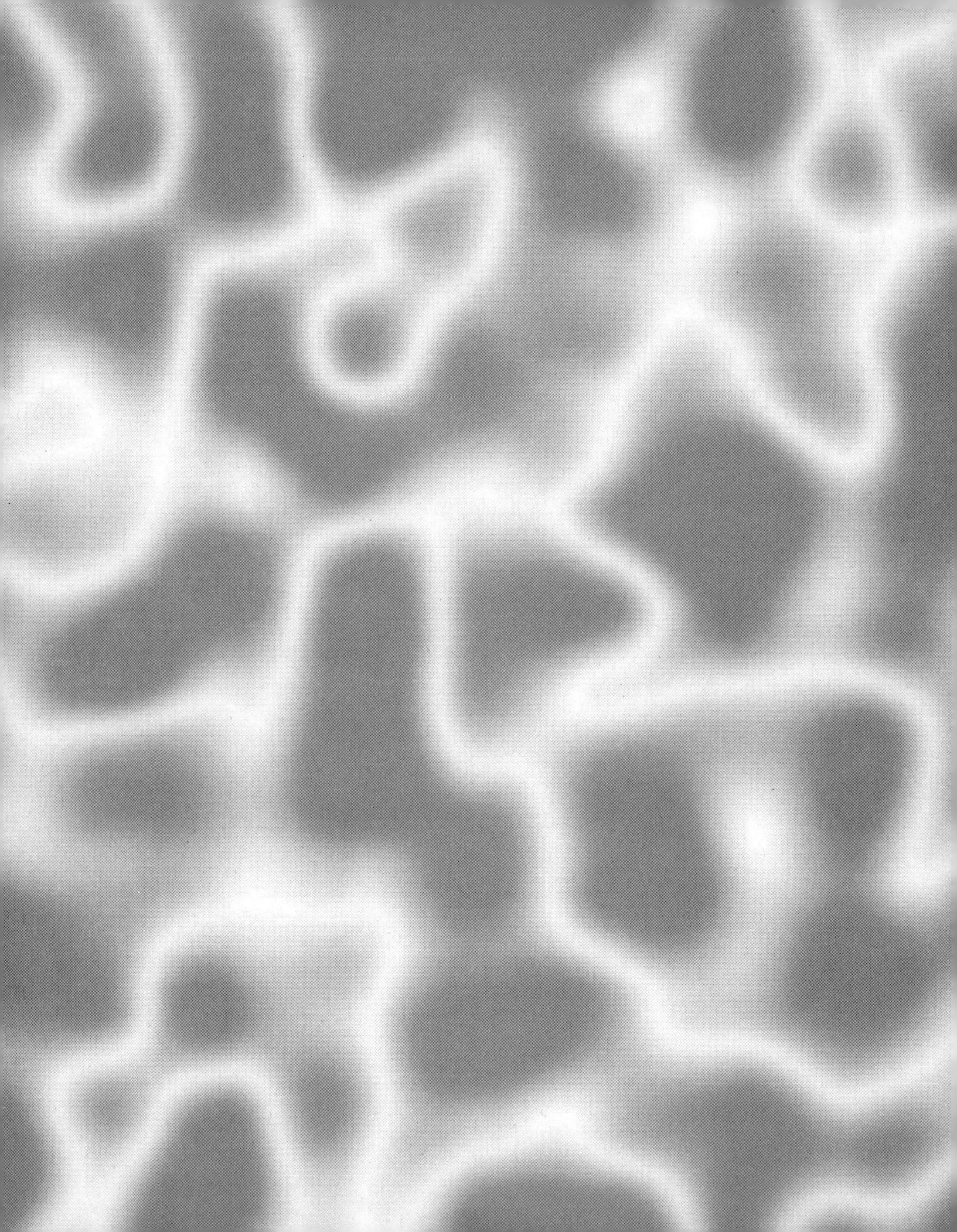

Título de un libro que te haya gustado mucho.
Pregunta a otro niño si ayuda en su casa.
¿Qué te gustaría hacer el próximo domingo?
Tus golosinas favoritas.
Tu comida preferida.
Lo que menos te gusta comer.
¿A quién te gustaría conocer?
Lo que más te gusta de la escuela.
Lo que más te aburre de la escuela.
Personaje de las caricaturas al que te pareces.
Canta un pedacito de tu canción favorita.
Lo que más te gusta hacer.
Invita a un niño o niña a jugar en el recreo.
Alguna enfermedad que hayas tenido.
Tu día favorito de la semana.
Meta

Platica y gana

Éste es un juego para conocer mejor a tus amigos.
Juega con uno o varios amigos.
Material: Un dado. Una ficha por cada jugador.

Instrucciones:

1. Pega las dos páginas para formar un tablero.
2. Por turnos, cada jugador tira y avanza el número de casillas que marque el dado.
3. Tienes que hacer o decir lo que se indica en la casilla. Si no lo haces, pierdes un turno.

Gana quien llegue primero a la meta.

1. Recorta la tarjeta siguiendo la línea punteada.
2. Dóblala a la mitad.
3. Haz un dibujo en la parte externa y coloréalo.
4. Escribe un mensaje de saludo para un amigo o familiar en el interior de la tarjeta.

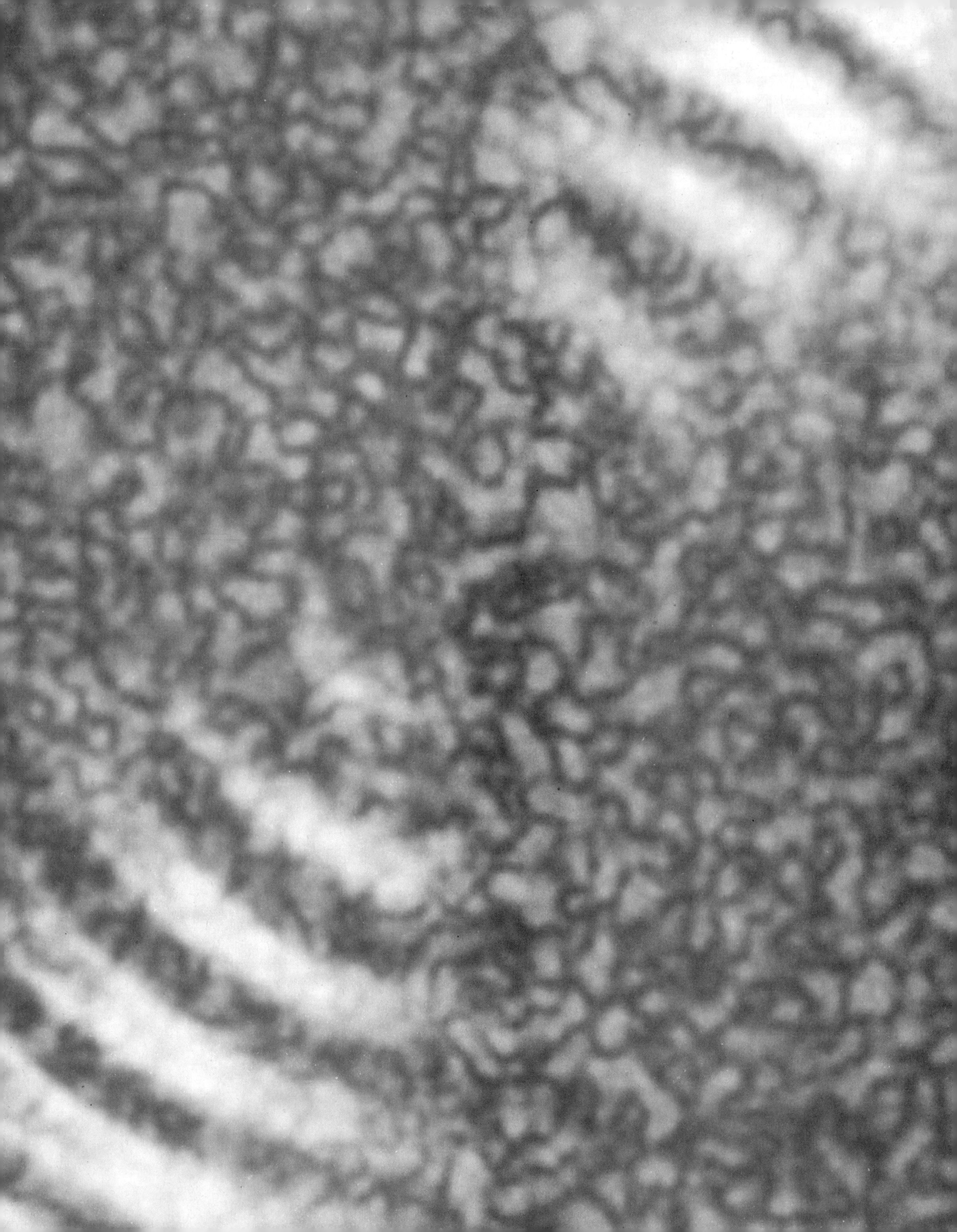

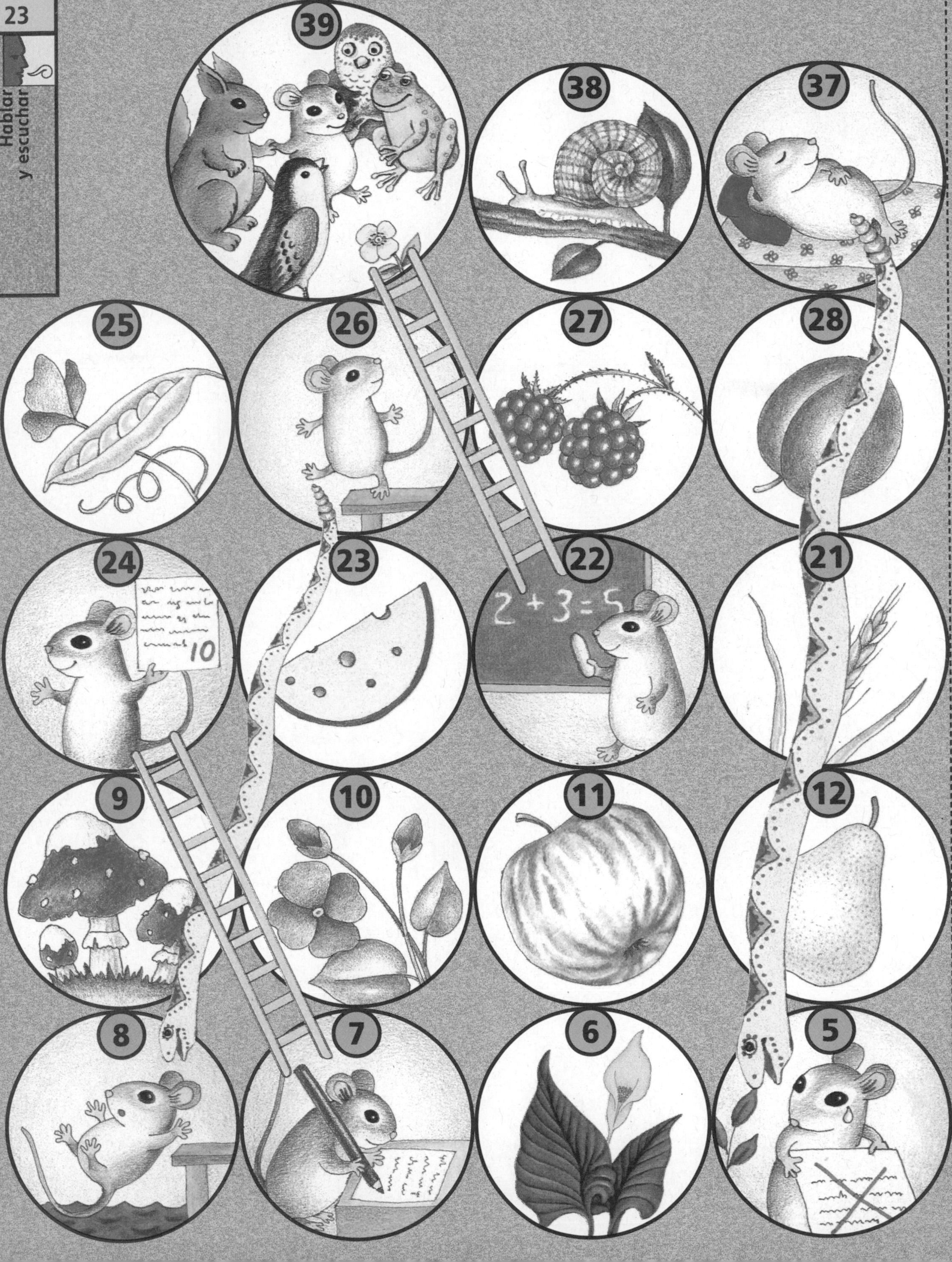

39 38 37

25 26 27 28

24 23 22 21

10

2 + 3 = 5

9 10 11 12

8 7 6 5

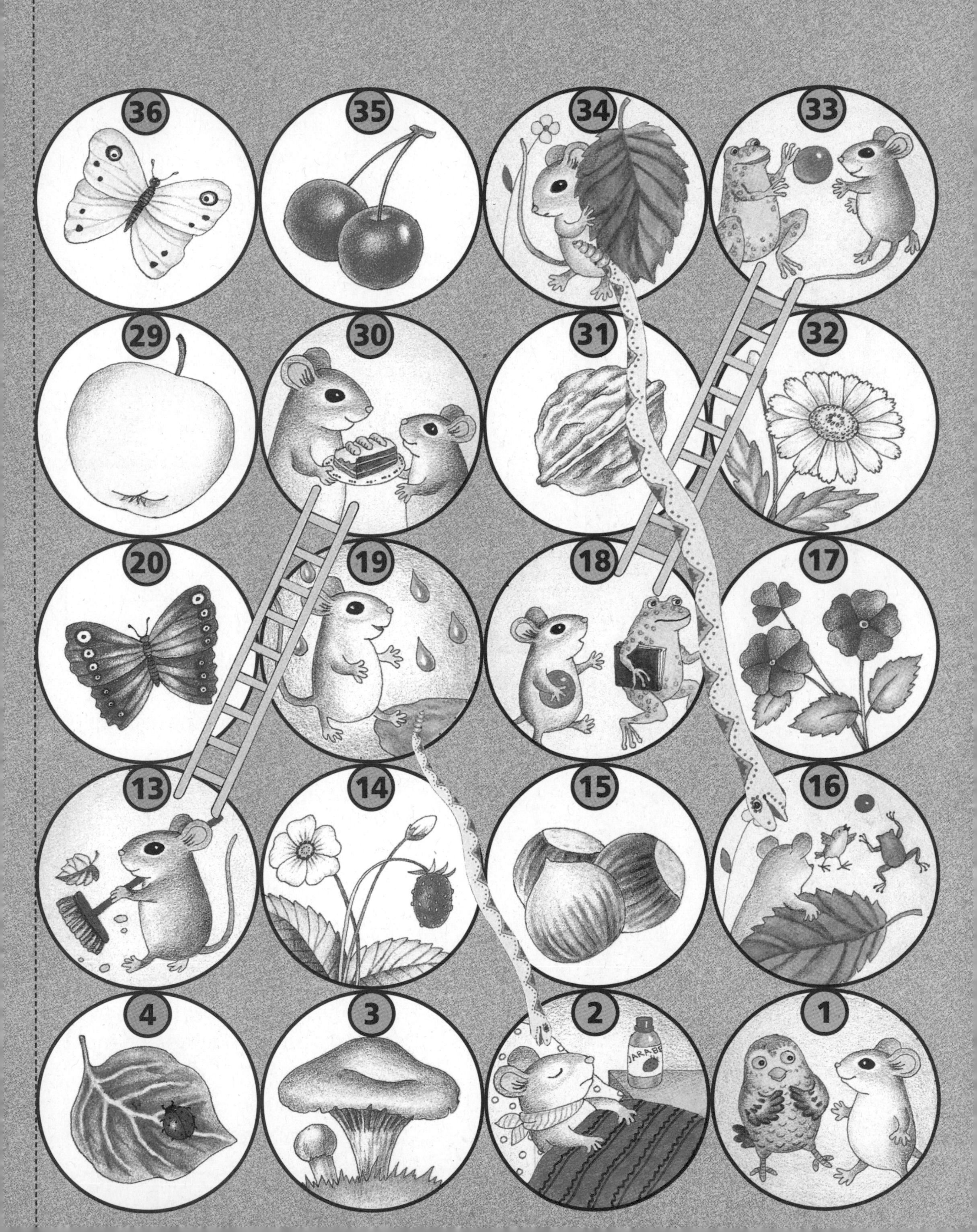
36
35
34
33
29
30
31
32
20
19
18
17
13
14
15
16
4
3
2
JARABE
1

Serpientes y escaleras

Pega las dos páginas para formar un tablero.

Juega con uno o varios amigos.

Material: Dos dados. Una ficha por cada jugador.

Instrucciones:

1. Todos inician en la casilla uno y avanzan por turnos de acuerdo con lo que marquen los dados.
2. Al caer en una casilla marcada con escalera, se asciende a la casilla donde termina la escalera.
3. Al caer en la cola de una serpiente, se desciende hasta la cabeza.
4. Gana el jugador que llegue primero a la casilla 39.

Platica con los otros jugadores por qué suben o bajan de una casilla a otra.

Instrucciones:

1. Escoge una de las historietas.
2. Recorta los cuadros.
3. Pégalos en una hoja grande o cartulina, dejando espacio para hacer los globos de texto.
4. Dibuja el cuadro final de la historieta que escogiste.
5. Dibuja los globos en donde creas conveniente.
6. Escribe los diálogos de los personajes.
7. Colorea los dibujos.
8. Escribe un título para tu historieta.

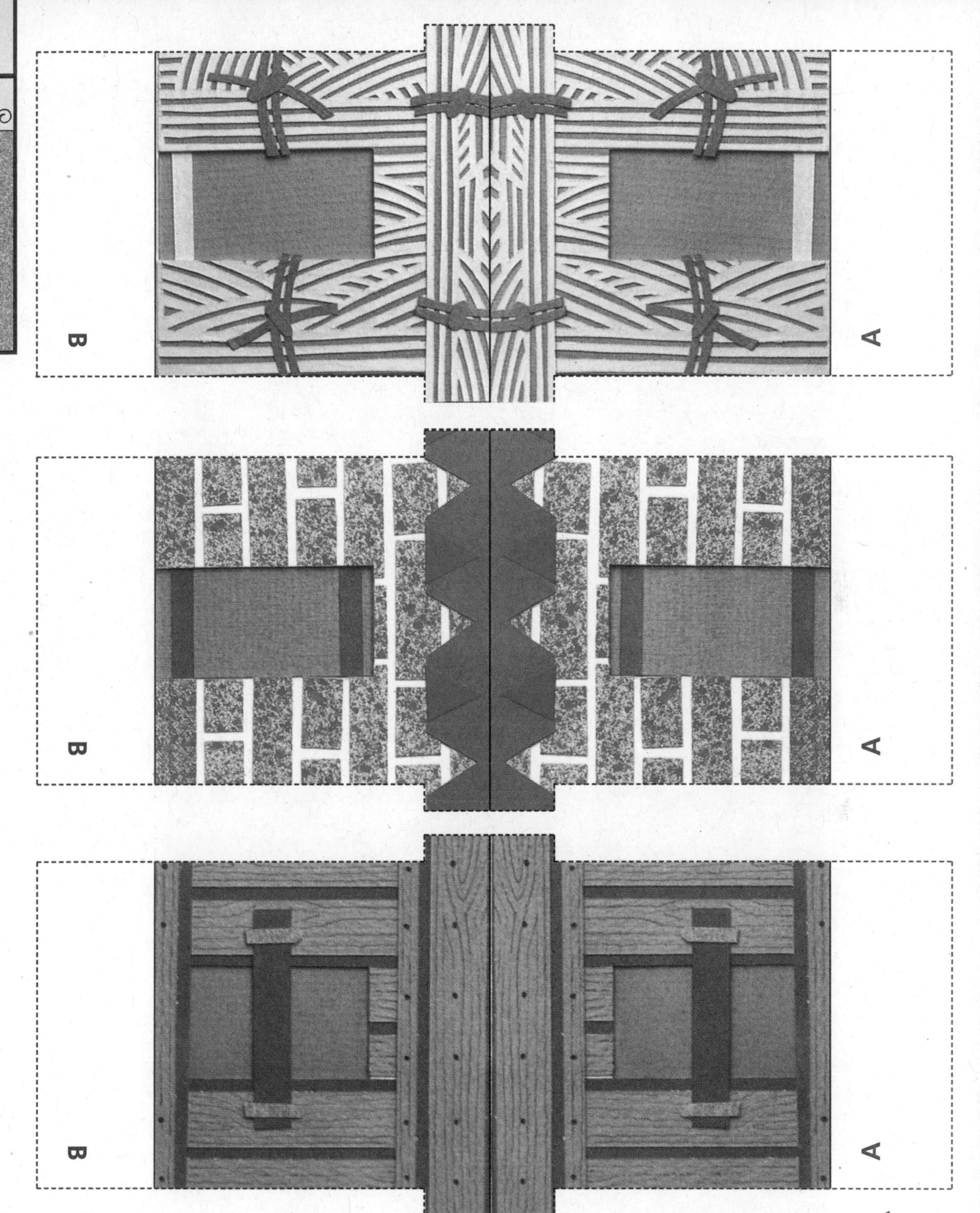
B
A
B
A
B
A

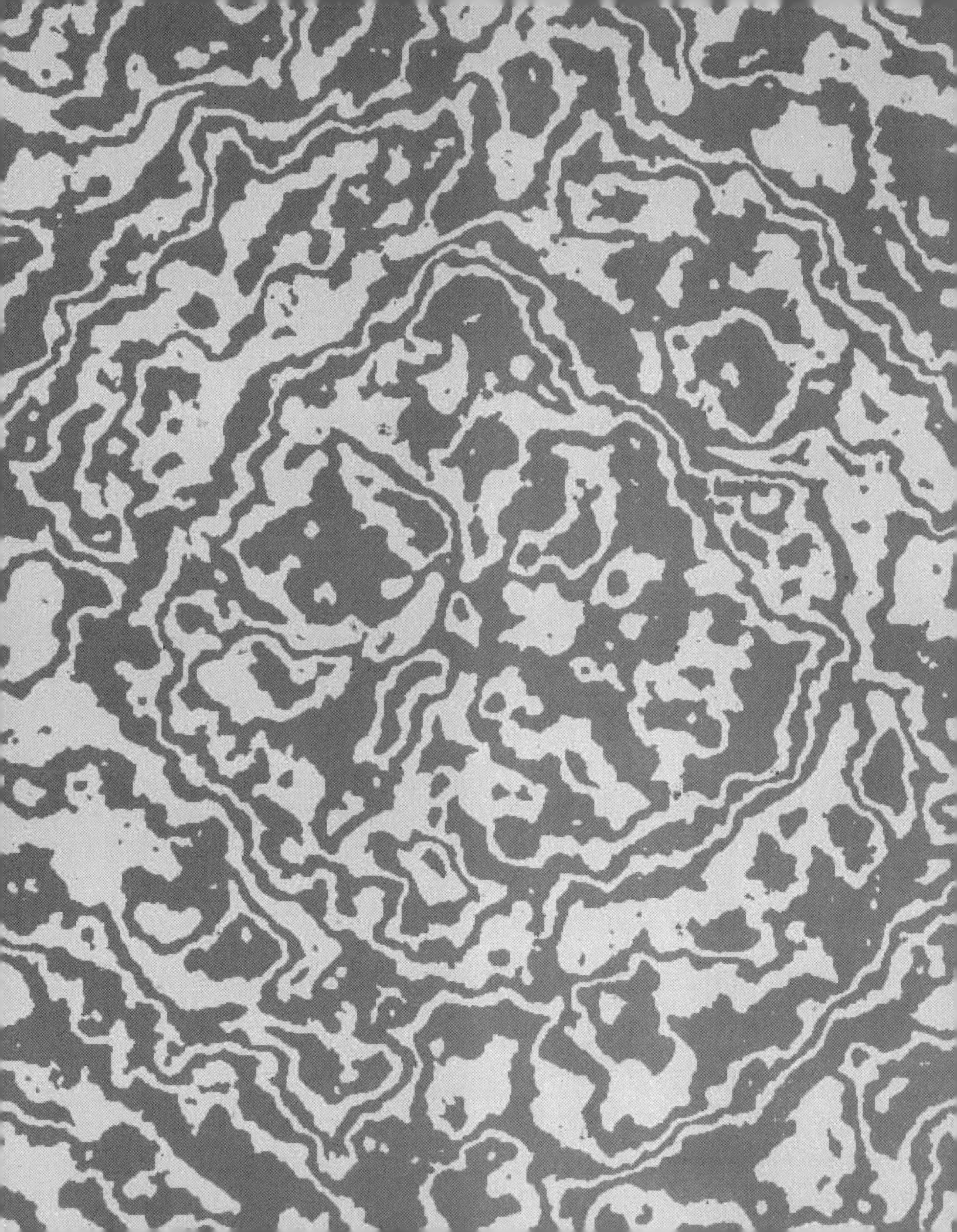

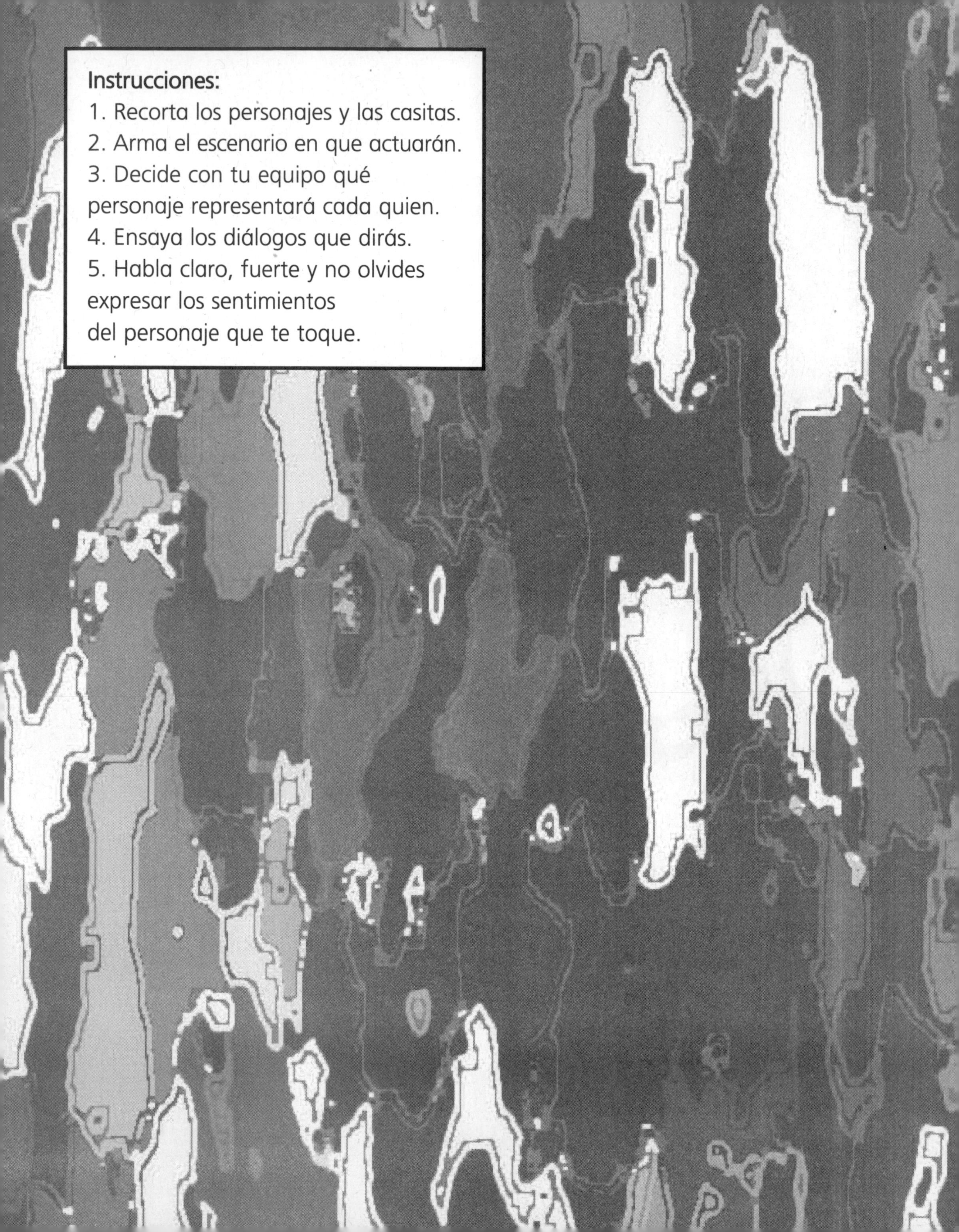

Instrucciones:

1. Recorta los personajes y las casitas.
2. Arma el escenario en que actuarán.
3. Decide con tu equipo qué personaje representará cada quien.
4. Ensaya los diálogos que dirás.
5. Habla claro, fuerte y no olvides expresar los sentimientos del personaje que te toque.

MAGIAS CURATIVAS
VOL. 2

Instrucciones:

1. Recorta las ilustraciones.
2. Acomódalas en una hoja grande o cartulina. Deja espacio entre los cuadros para dibujar los globos de texto.
3. Pega los cuadros en una hoja o cartulina.
4. Dibuja los globos de texto donde creas conveniente.
5. Escribe los diálogos de los personajes dentro de los globos.
6. Escribe un título para tu historia.

¡Me gustaría tener una escuela más bonita!

Sí, a mí también.

Lo mejor fue que todos colaboramos.

¡Qué bonito nos quedó el salón!

Podemos poner dibujos en la pared.

Vamos a hacer macetas con unos botes.

Yo traigo pintura para pintarlas.

Y hasta algunas macetas.

Empecemos por nuestro salón.

¡Claro!

Forremos unas cajas para guardar nuestras cosas.

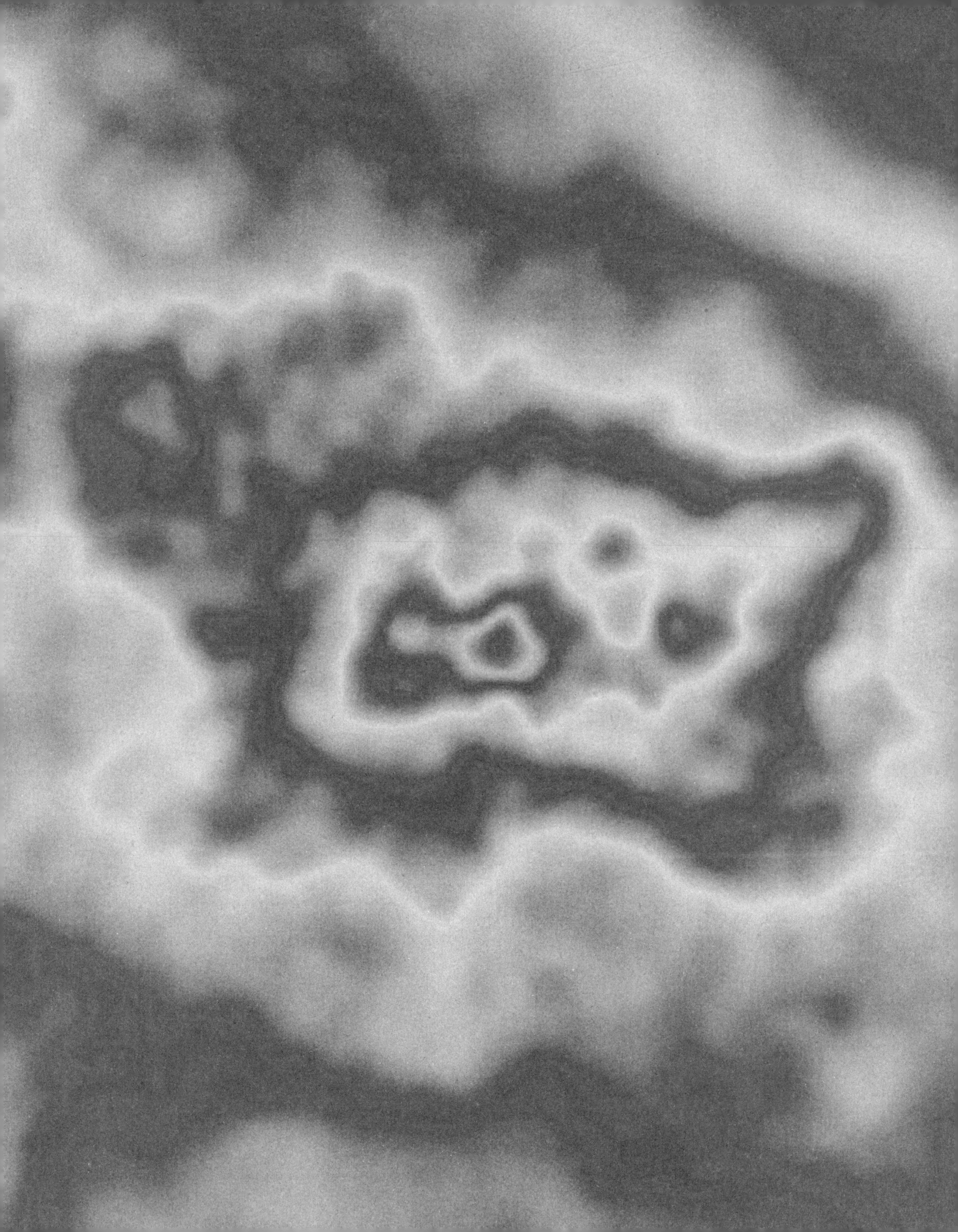

Transformación de oraciones

Instrucciones:

1. Recorta siguiendo la línea punteada.
2. Junta las páginas y cóselas por los orificios para formar tu libro.
3. Escribe nombres de tus amigos en la parte superior de las hojas.
4. Juega con tus amigos a cambiar los nombres y leer las oraciones.
5. Inventa tus propias oraciones.

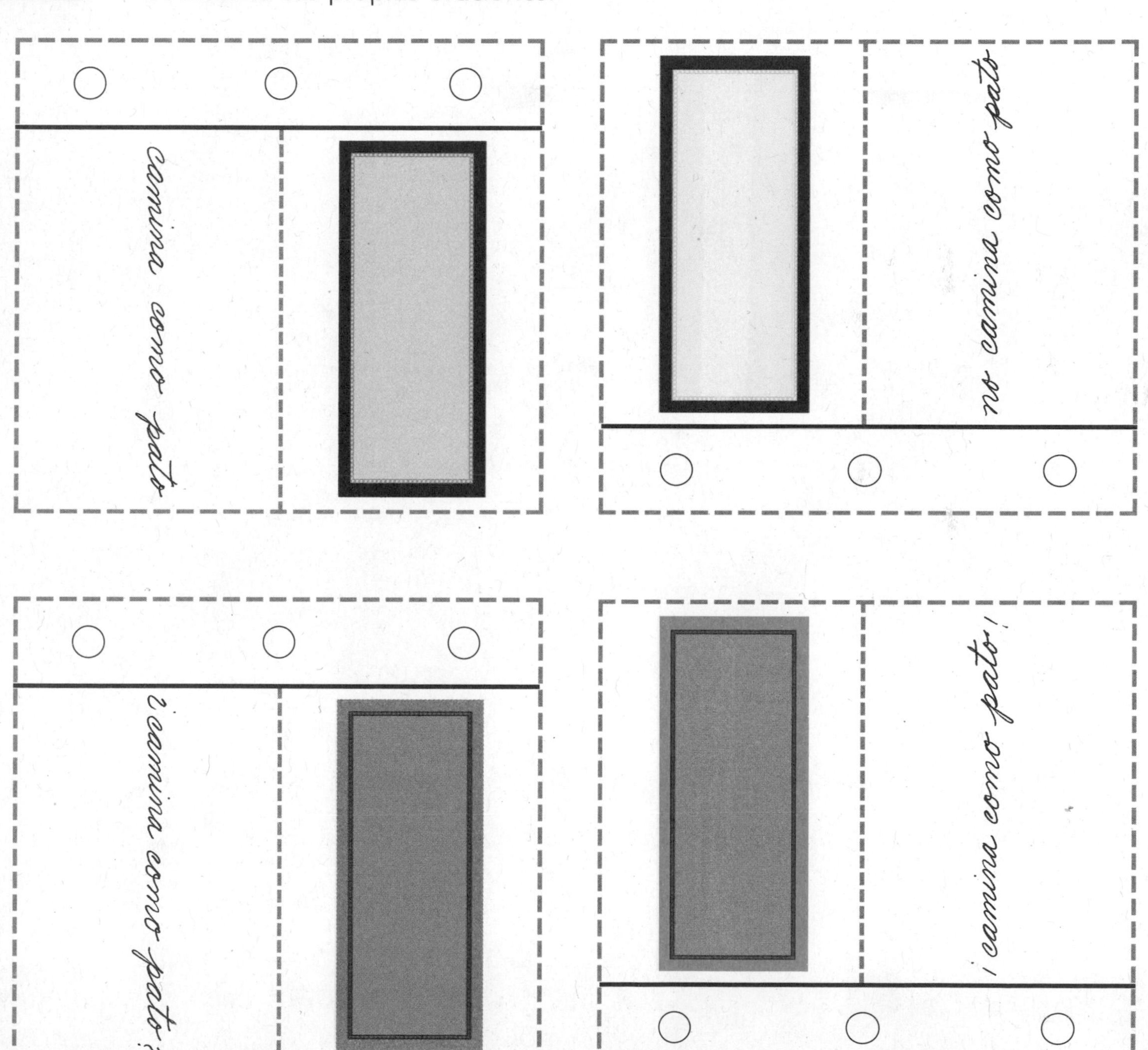

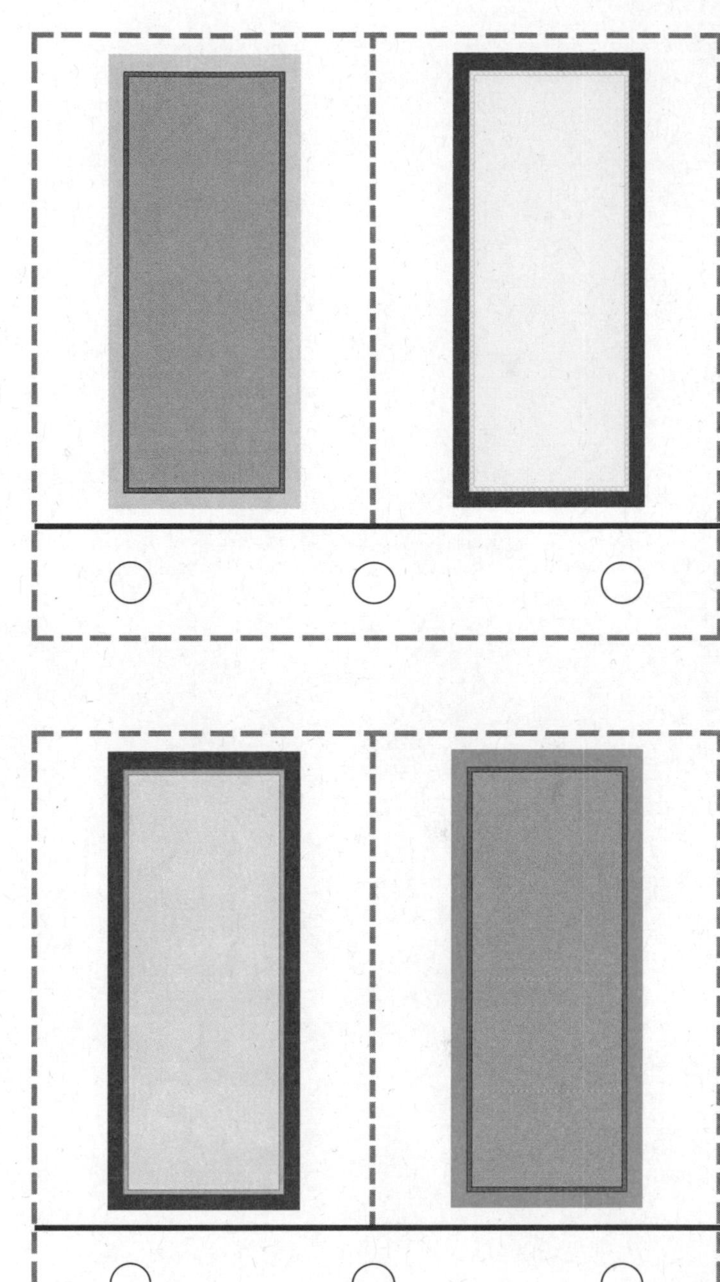

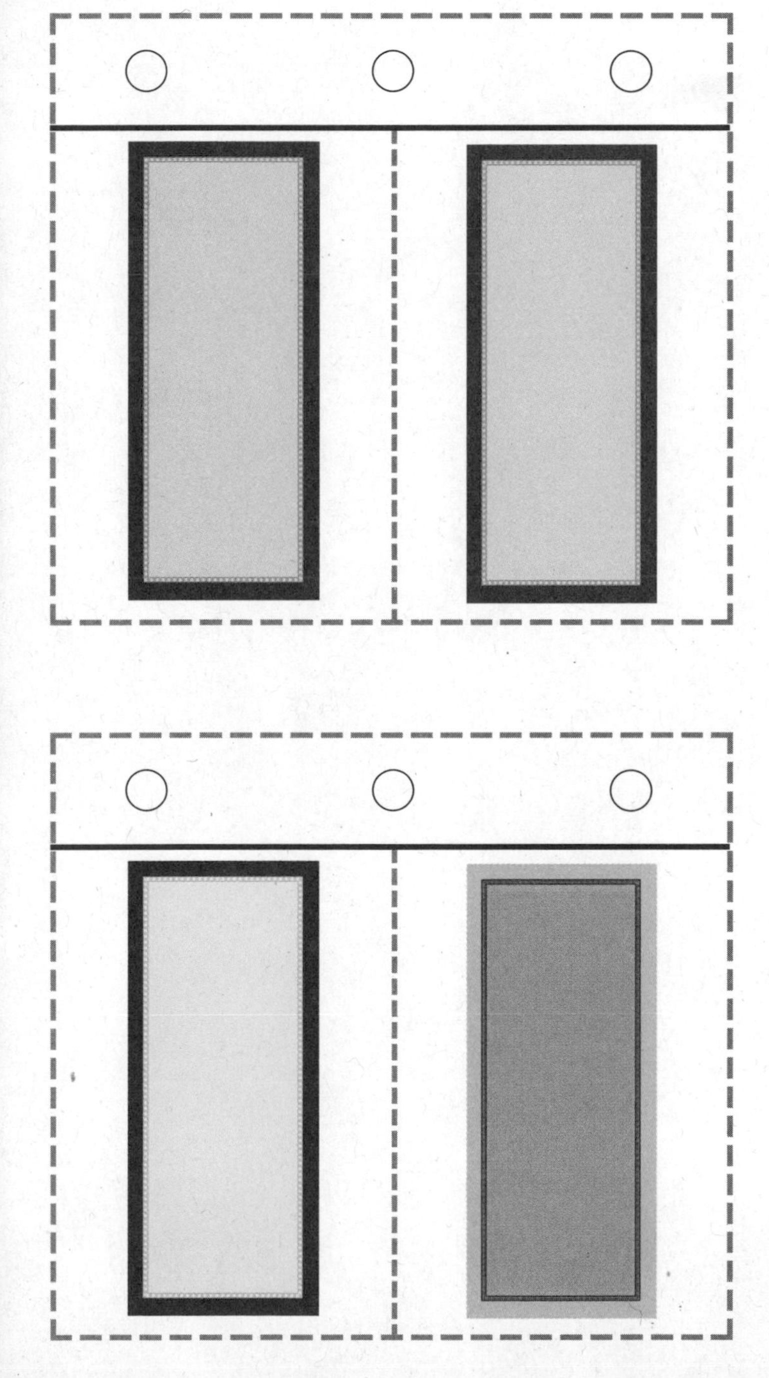

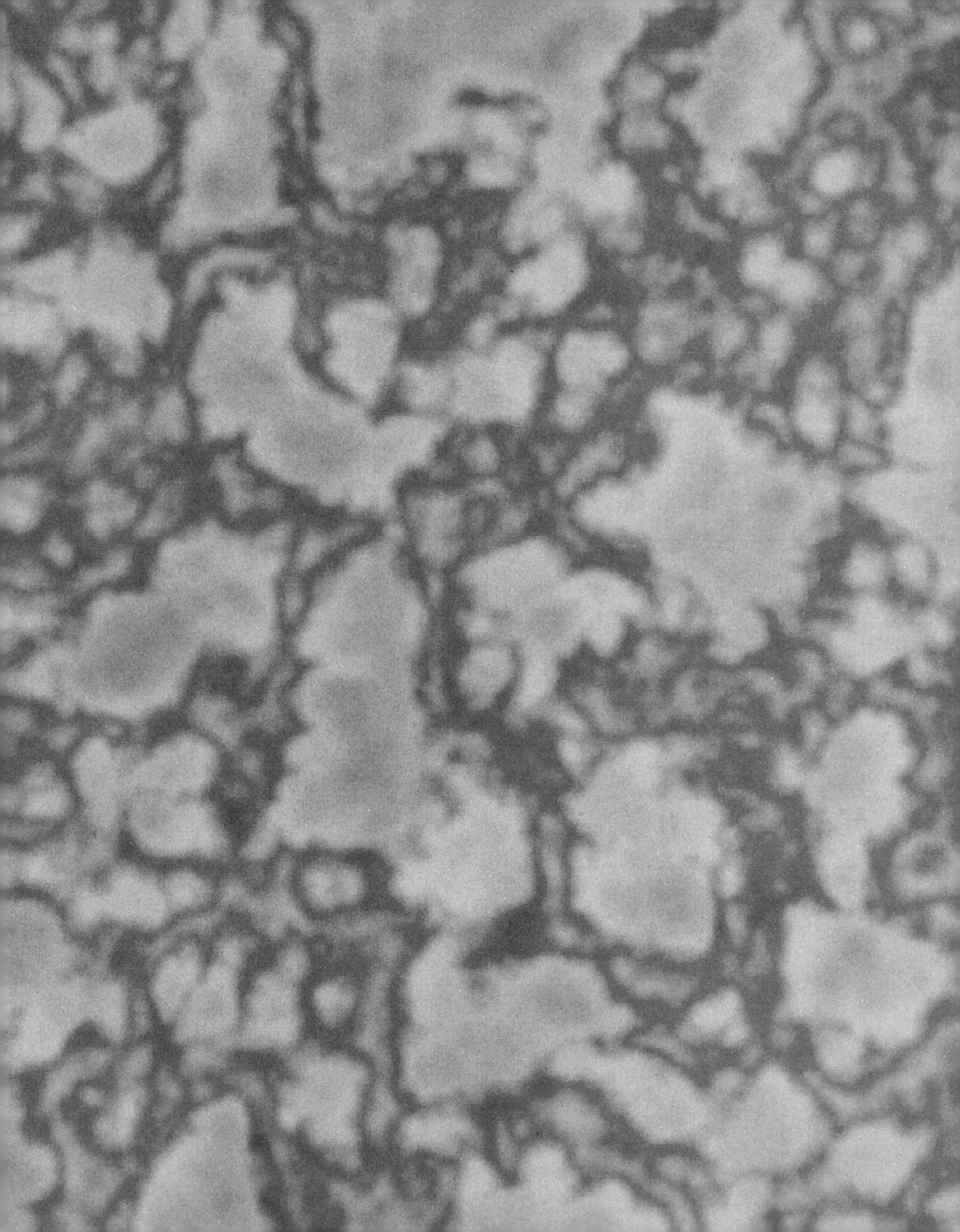

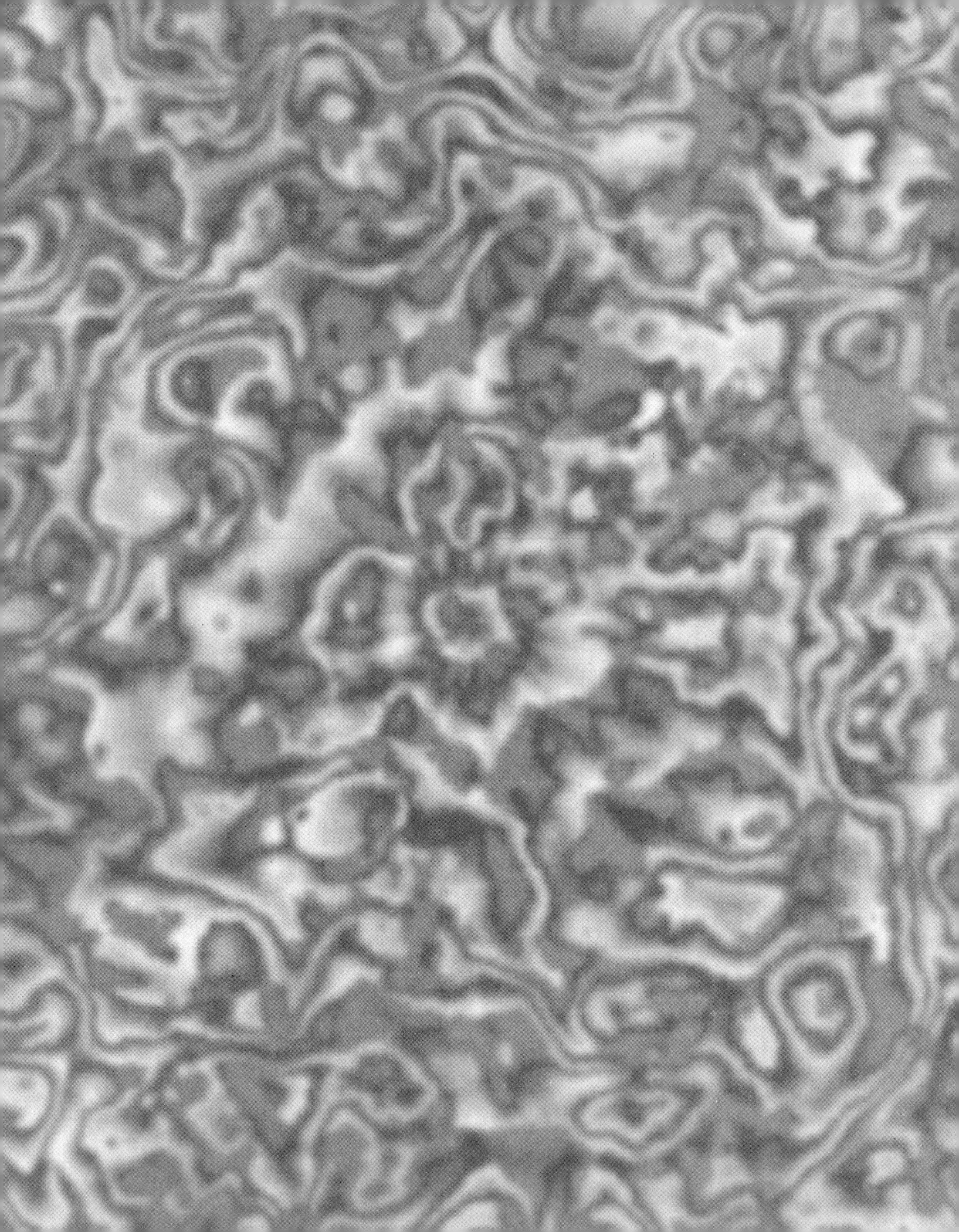

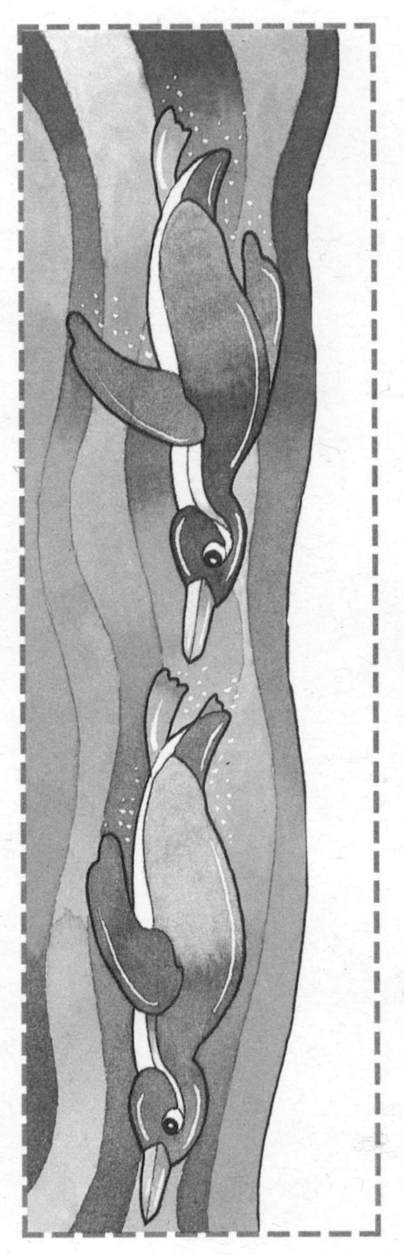
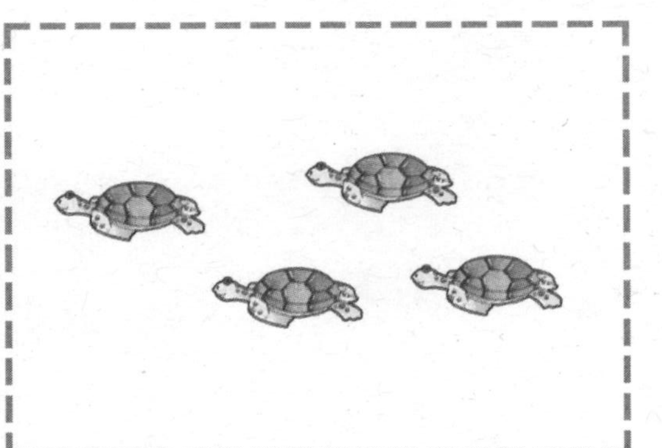

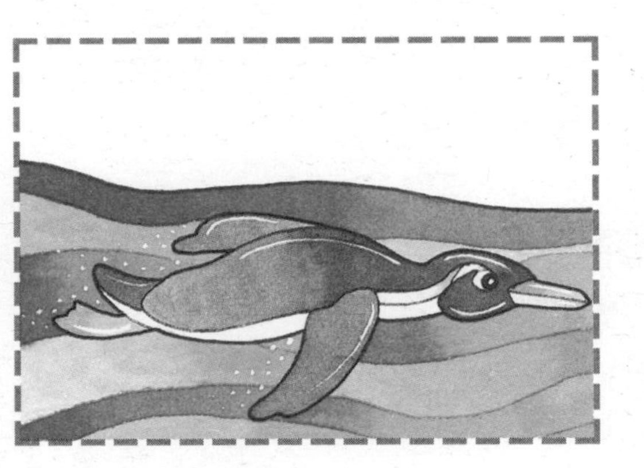

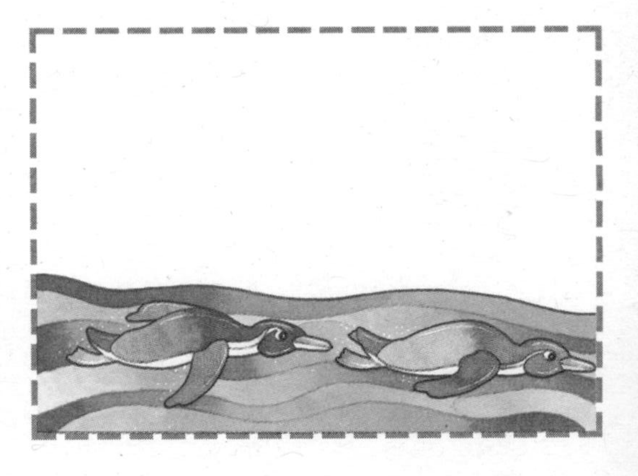

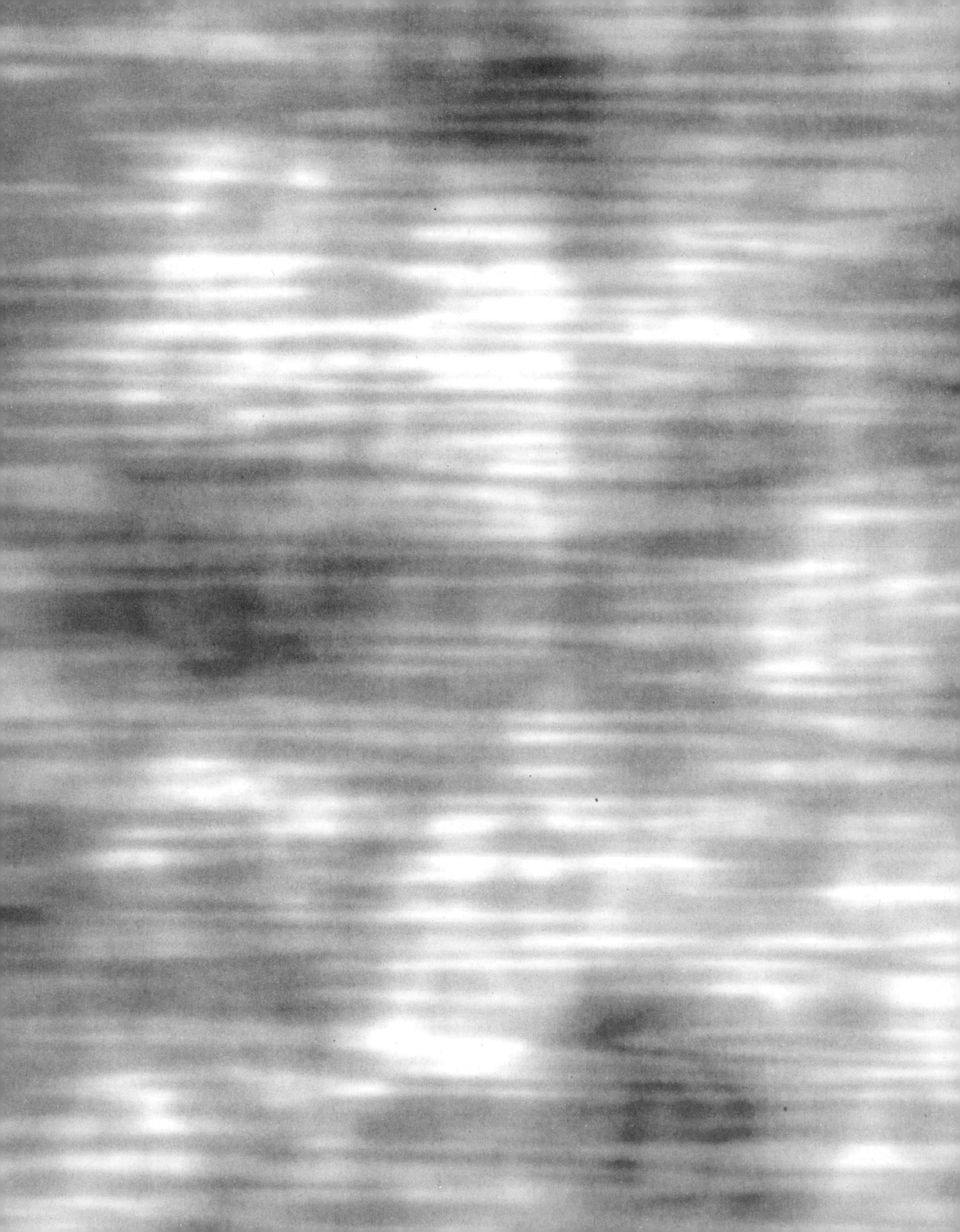

Leer y compartir

En una tabla pica la media cebolla.

Corta las tortillas en cuadritos.

En una sartén con aceite caliente, fríe la cebolla y los trocitos de tortillas.

Bate los huevos en un recipiente.

Echa los huevos en la sartén junto con la cebolla y las tortillas.

Leer y compartir

A mis compañeros y a la maestra les agradó el cuento.

Un pequeño duende apareció y me prestó su lápiz mágico.

No se me ocurría nada para escribir un cuento.

Con el lápiz mágico escribí una aventura.

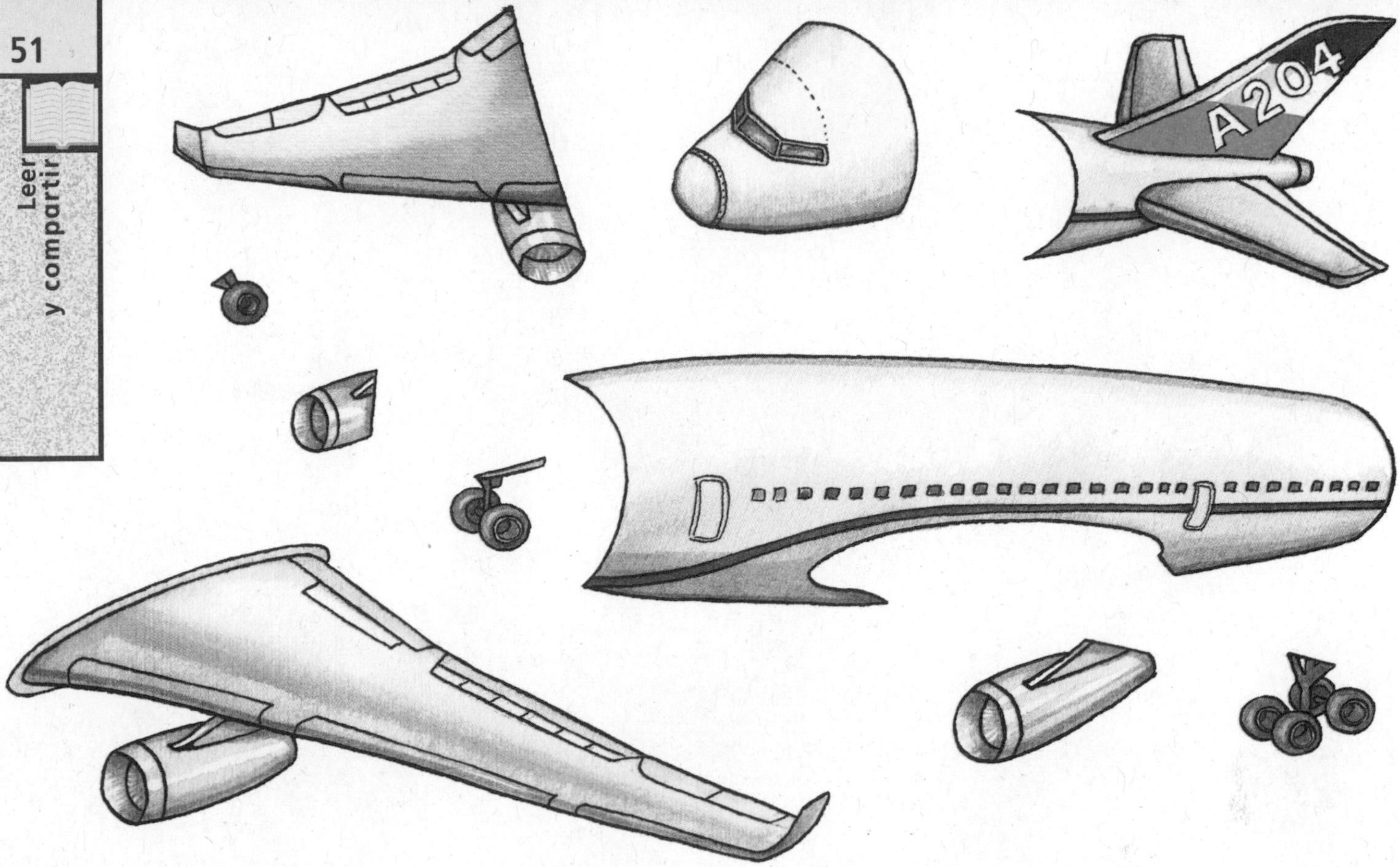

A204

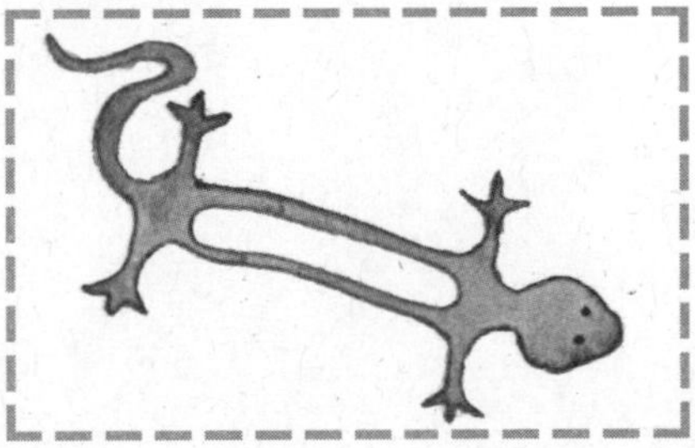

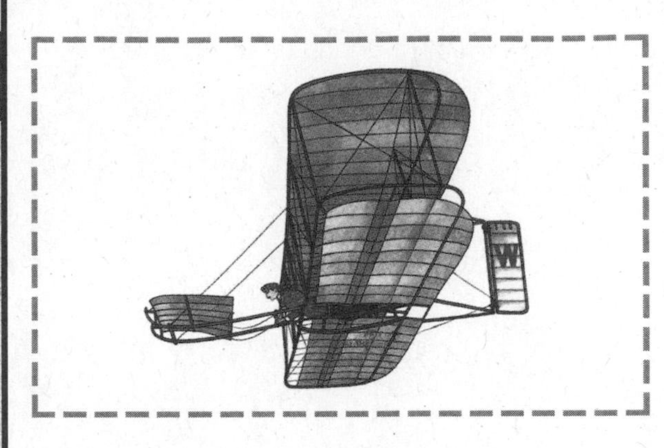

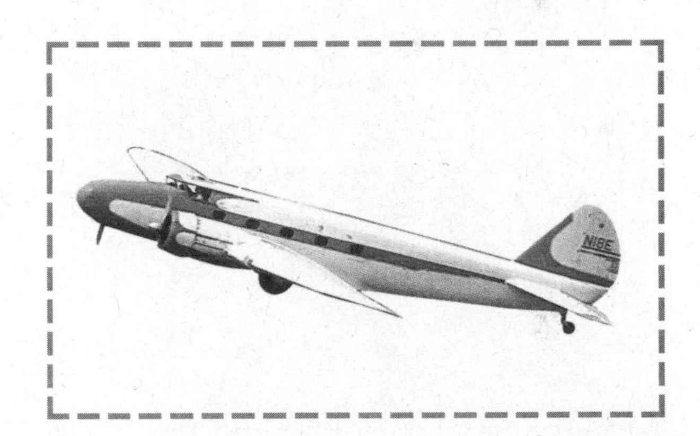

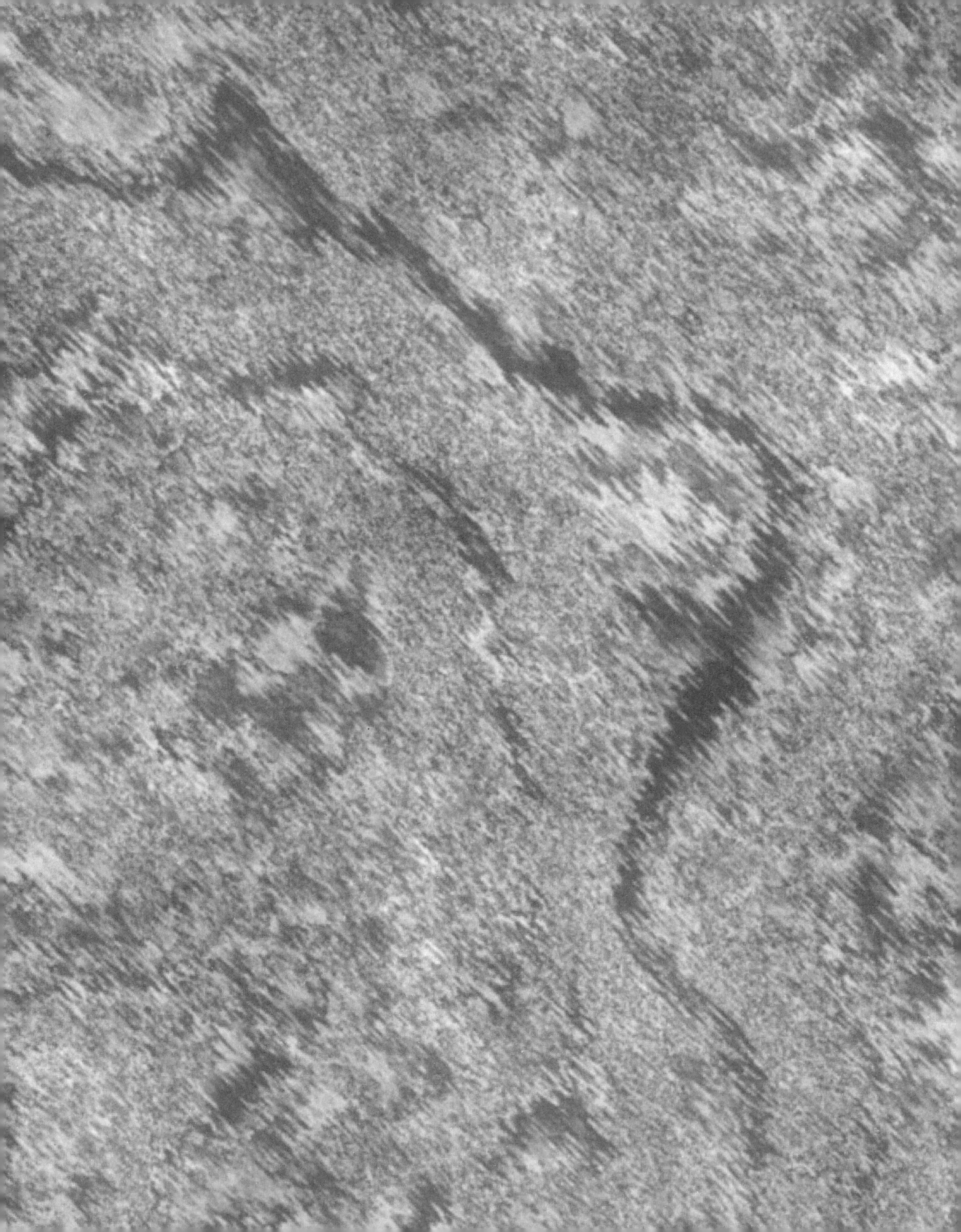

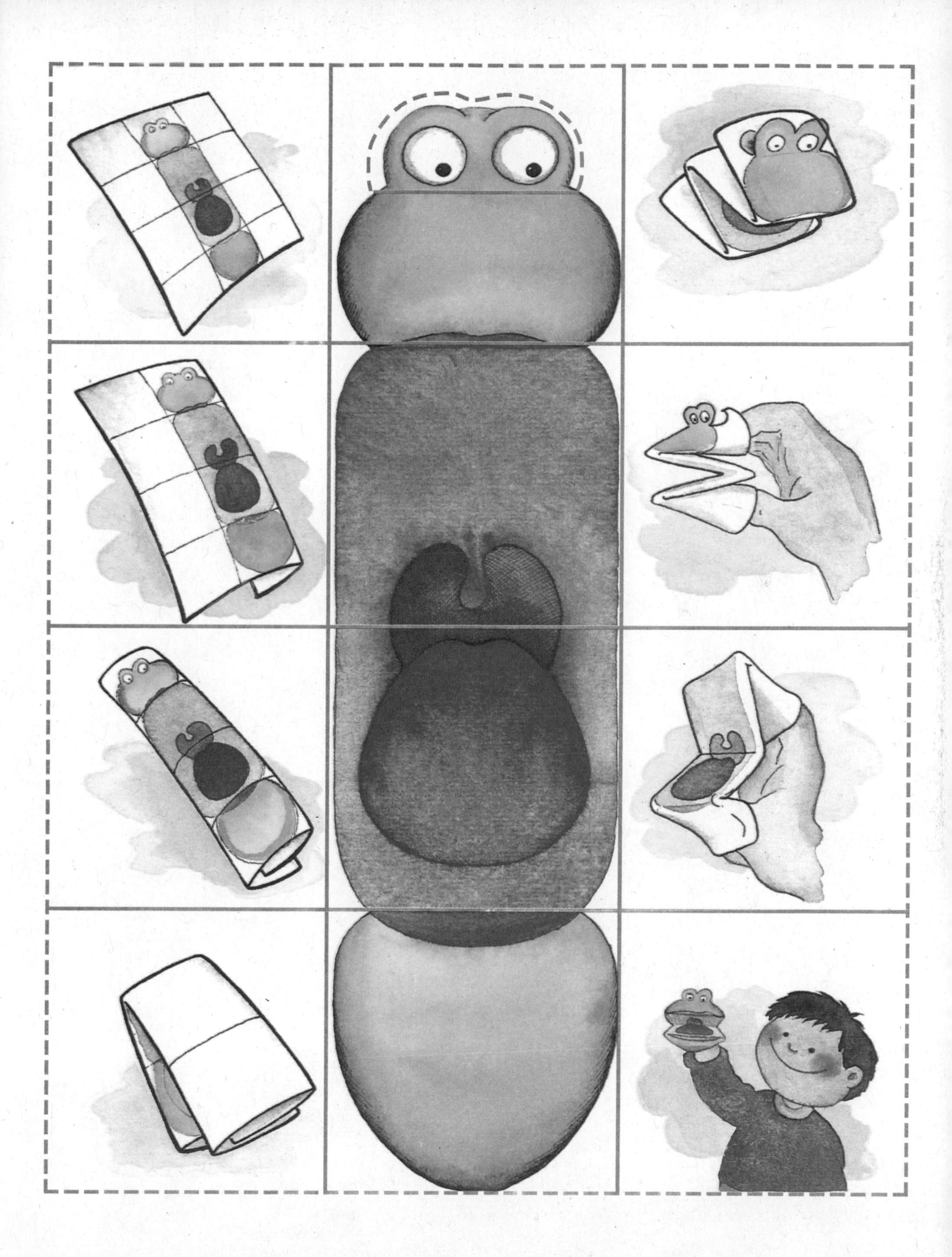

Las mariposas Monarca

Escrito por:

___

con	comodín	hace	
pequeña	revienta	bebe	la
lagartijas	bruja	su	princesa
el	muchas	renacuajo	gordo

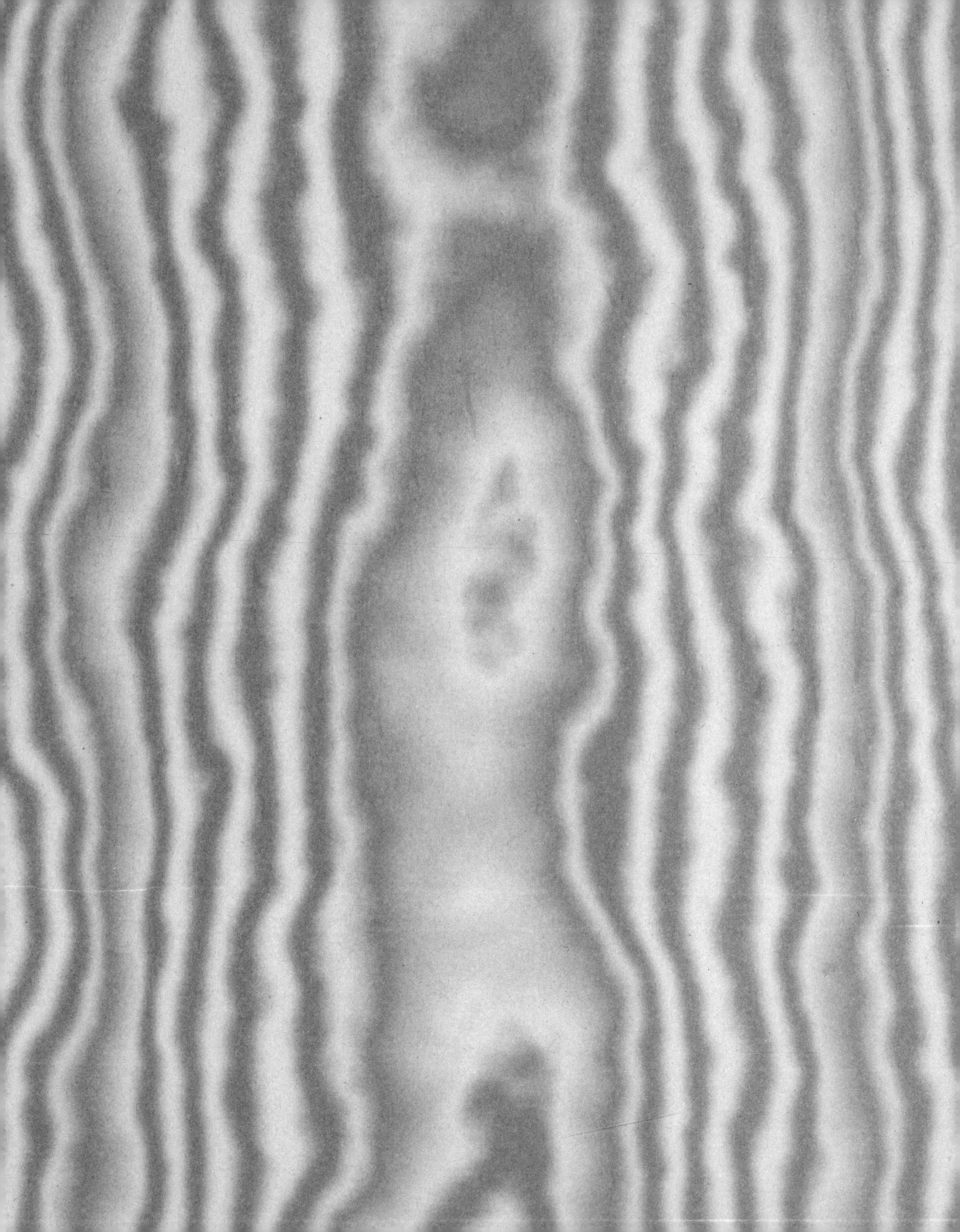

y	la	mango	
hechicero	la	de	el
pipián	y	sapo	el
goloso	y	saca	el

niña	come	gran	
moscas	prepara	su	palomas
comodín	sombrero	cena	pociones
comodín	malvada	chupón	mágicas

El rey Jorge estaba muy preocupado porque su única hija sólo quería casarse con el joven más valiente.

Un pregonero anunció que la princesa se casaría con el joven que le llevara los tesoros del castillo encantado.

Juan sin Miedo pidió al rey su consentimiento para ir al castillo encantado.

Juan no sintió miedo en el castillo. Por eso las brujas y los fantasmas le dieron un saco de monedas de oro.

Juan y la princesa se casaron y repartieron las monedas de oro entre los habitantes del reino.

bruja	fantasma	armadura
esqueleto	duende	cadena

JUAN ENCANTADO DEL

CASTILLO SALIÓ EL A

EN PUEBLO HABÍA UN

TESOROS NADIE IR SE

ATREVÍA AL VALIOSO

POR TEMOR

Mi retrato

Instrucciones:

1. Mírate en un espejo y dibújate en el cuadro más grande
2. En el cuadro de abajo anota tu nombre completo.

impulsar
Empujar para mover cosas
o personas.

playa
Orilla de las costas
cubierta de arena.

acuático
Que vive en el agua.

bucear
Nadar manteniéndose
debajo del agua.

embarcación
Objeto que flota en el agua
y sirve como transporte.

transporte
Objeto que sirve para llevar
personas o cosas
de un lugar a otro.

vía
Camino que se sigue
para ir a un lugar.

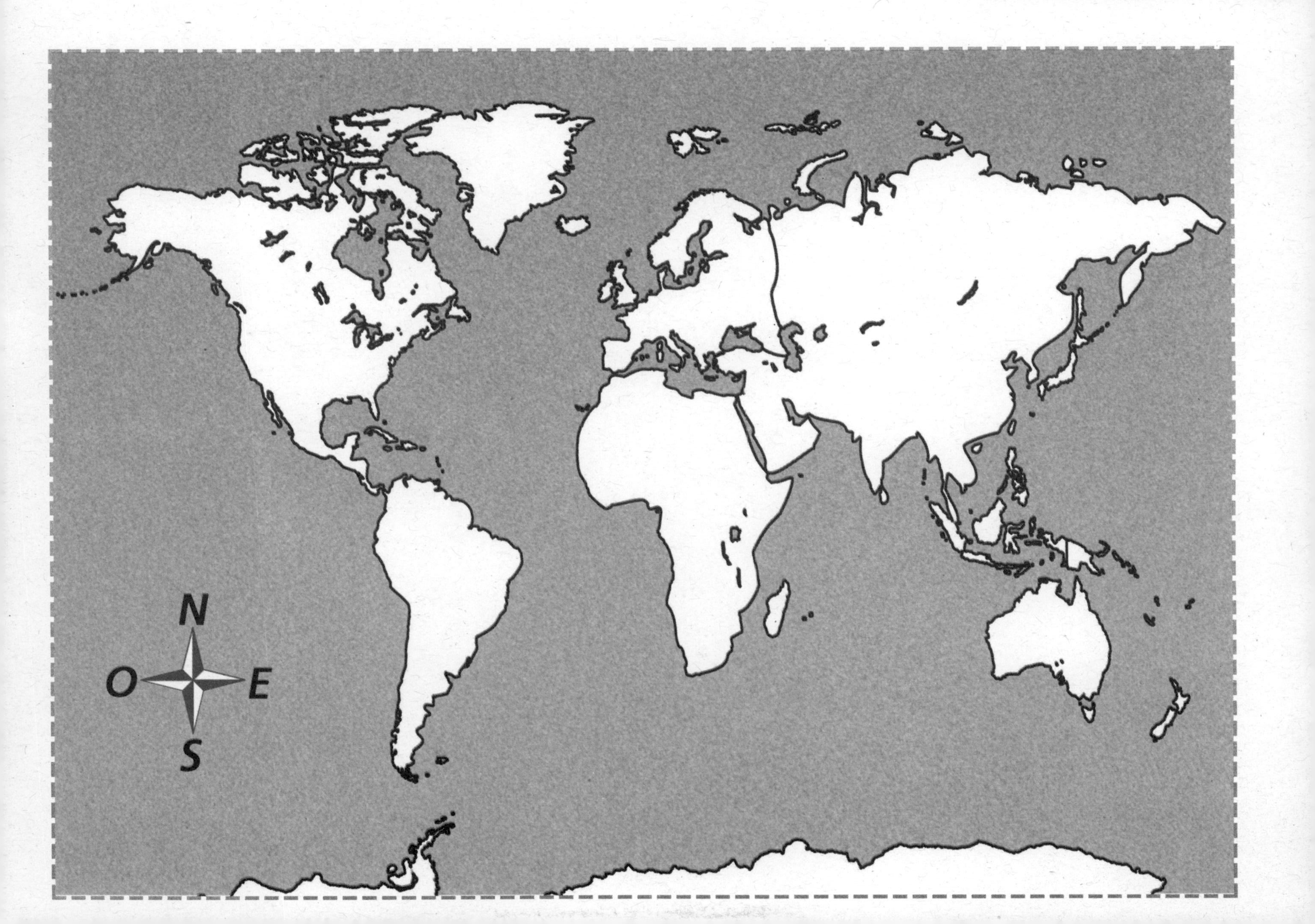
N
O
E
S

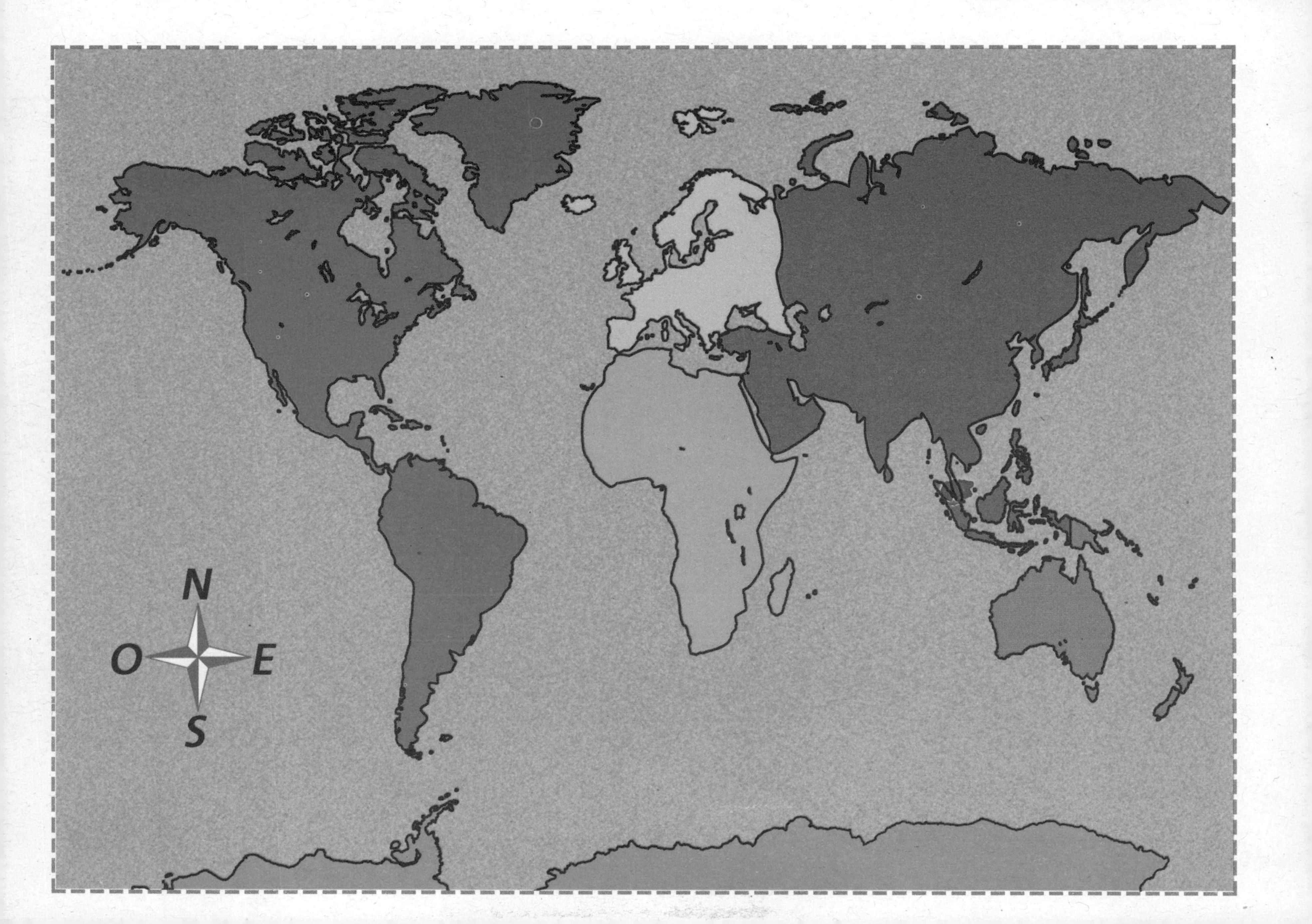
N
O
E
S

Tablero

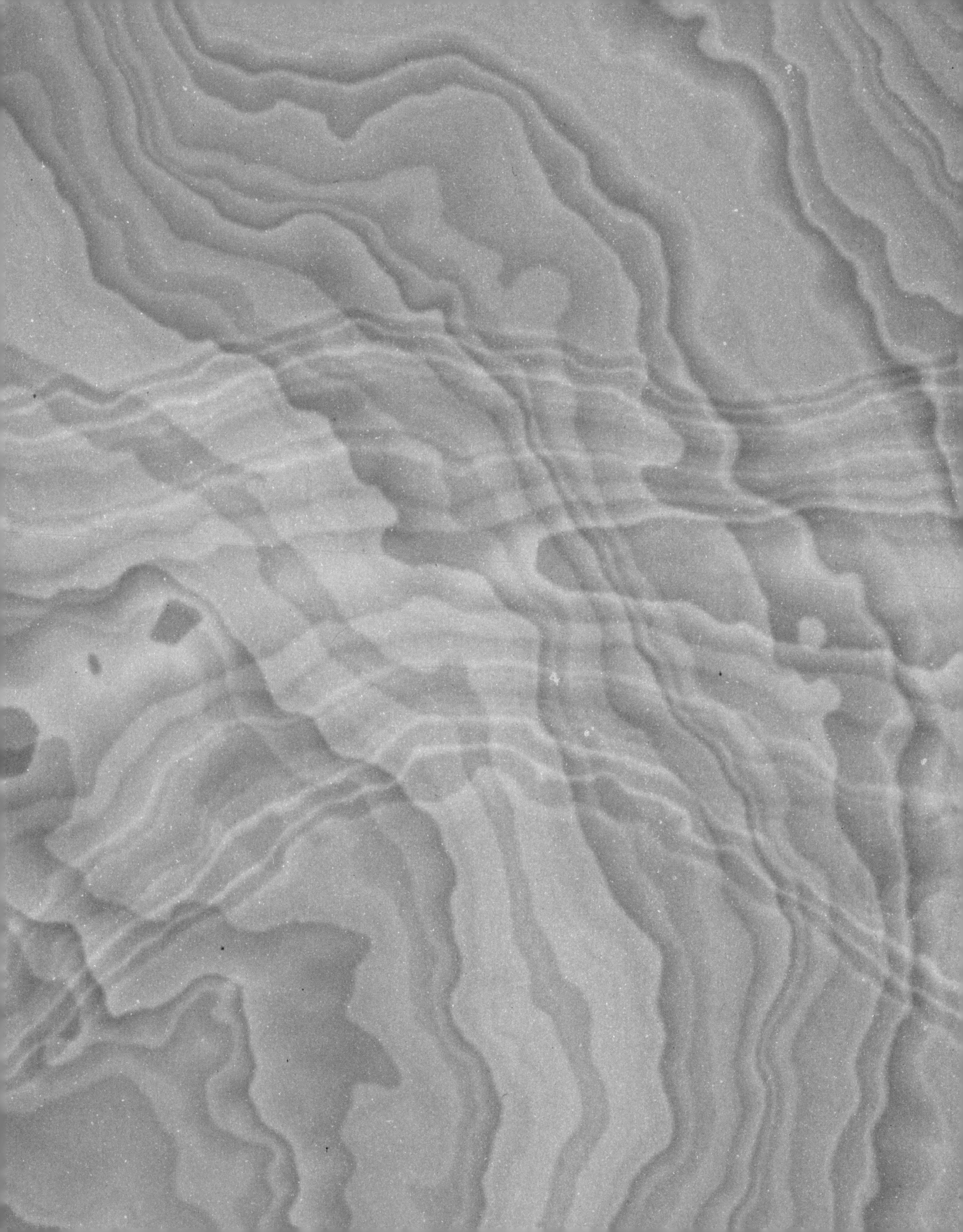

Rompecabezas

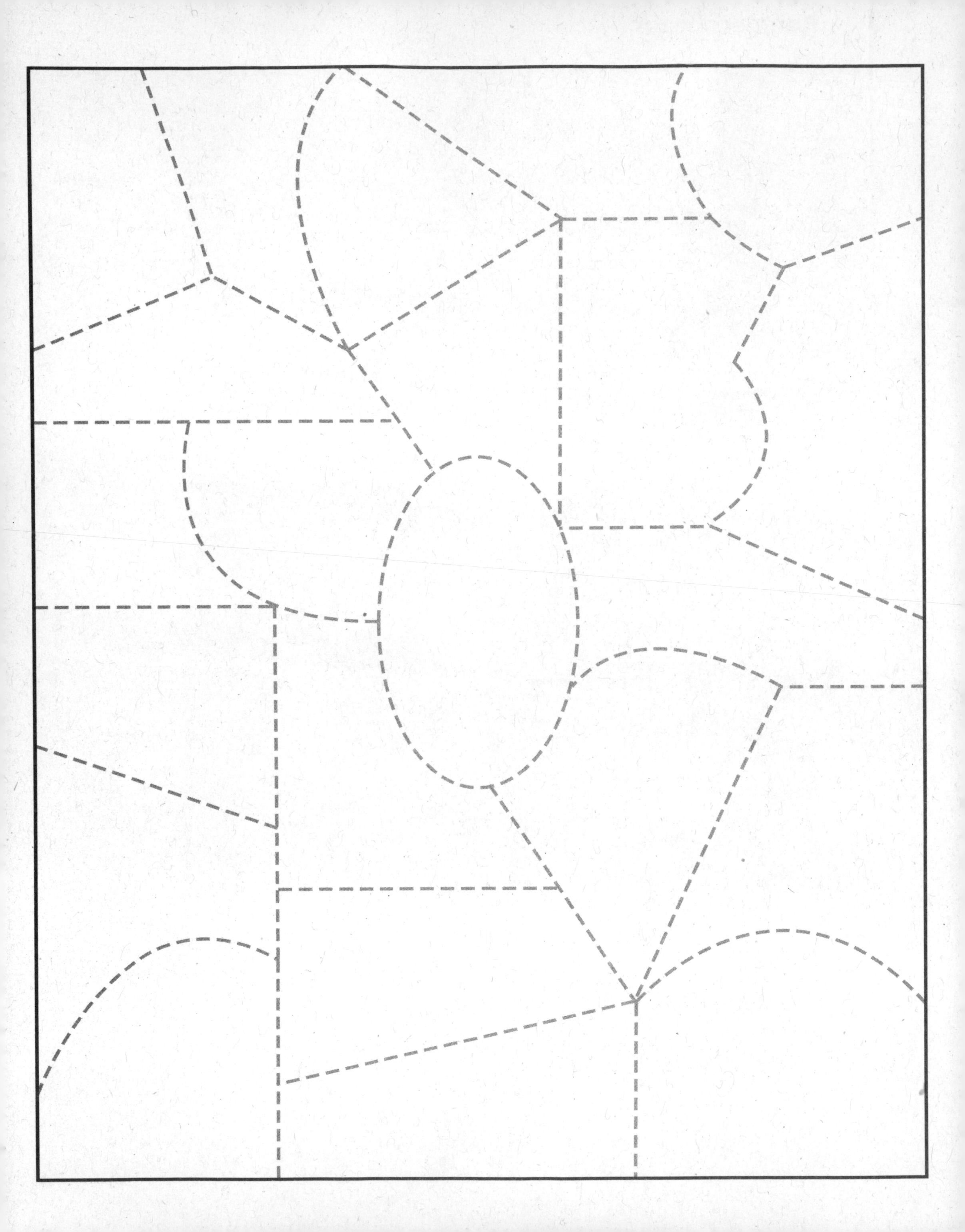

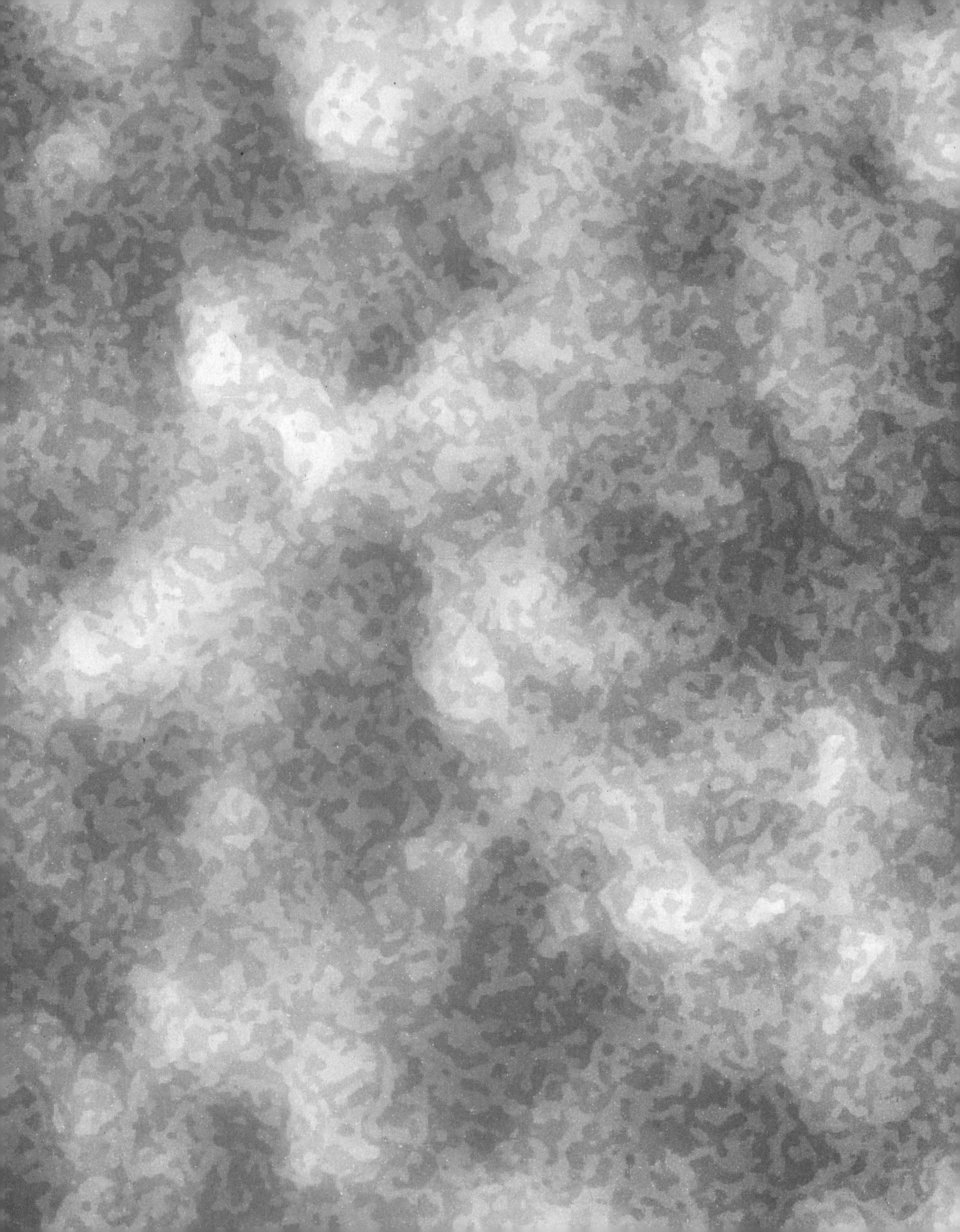

24
Mar
23
¡Cuidado!
Ese perro puede comerte. Corre al nido de la casilla 20.
22
9
¡Ay, un cangrejo!
Retrocede al nido para esconderte.
10
11 nido
12
8 nido
7
¡Cuidado!
Un señor está robando huevos de tortuga.
6
5
4

21
¡Qué suerte!
Una ola te lleva
directo al mar.
20 nido
19
18
17
13
14
15
16
¡Uy, una gaviota!
Escóndete en el
nido de la casilla 11.
3
¡Cuidado, un zopilote!
Retrocede al nido
para esconderte.
2 nido
1
Salida
Nido

Carrera de tortugas

El juego consiste en lograr que las tortugas lleguen al *Mar.* Ponte de acuerdo con dos compañeros para jugar.

Instrucciones:

1. Peguen las dos páginas para formar un tablero.
2. Recorten las tarjetas de la página 97.
3. Reúnan las tarjetas de los tres y revuélvanlas.
4. Cada jugador elige una tortuga de diferente color y la coloca en la casilla de *Salida.*
5. Por turnos, cada jugador toma una tarjeta y, si hace lo que se indica, avanza. Si no lo hace, pierde su turno.
6. Cuando un jugador llegue a una casilla con indicaciones, deberá realizarlas.

Gana el jugador que llegue primero al *Mar.*

Di cómo te llamas.
(Avanza 1)

Saluda a un compañero
o a una compañera.
(Avanza 2)

Canta una canción.
(Avanza 5)

Di el nombre de un deporte
que te guste realizar.
(Avanza 2)

Di el nombre del cuento
que te gusta más.
(Avanza 1)

Di a qué te gusta jugar.
(Avanza 1)

Di una adivinanza.
(Avanza 2)

Cuenta un chiste.
(Avanza 5)

Imita a un chango.
(Avanza 4)

Di el nombre de un animal
que te guste mucho.
(Avanza 1)

Imita a un león.
(Avanza 4)

Imita a un pájaro.
(Avanza 3)

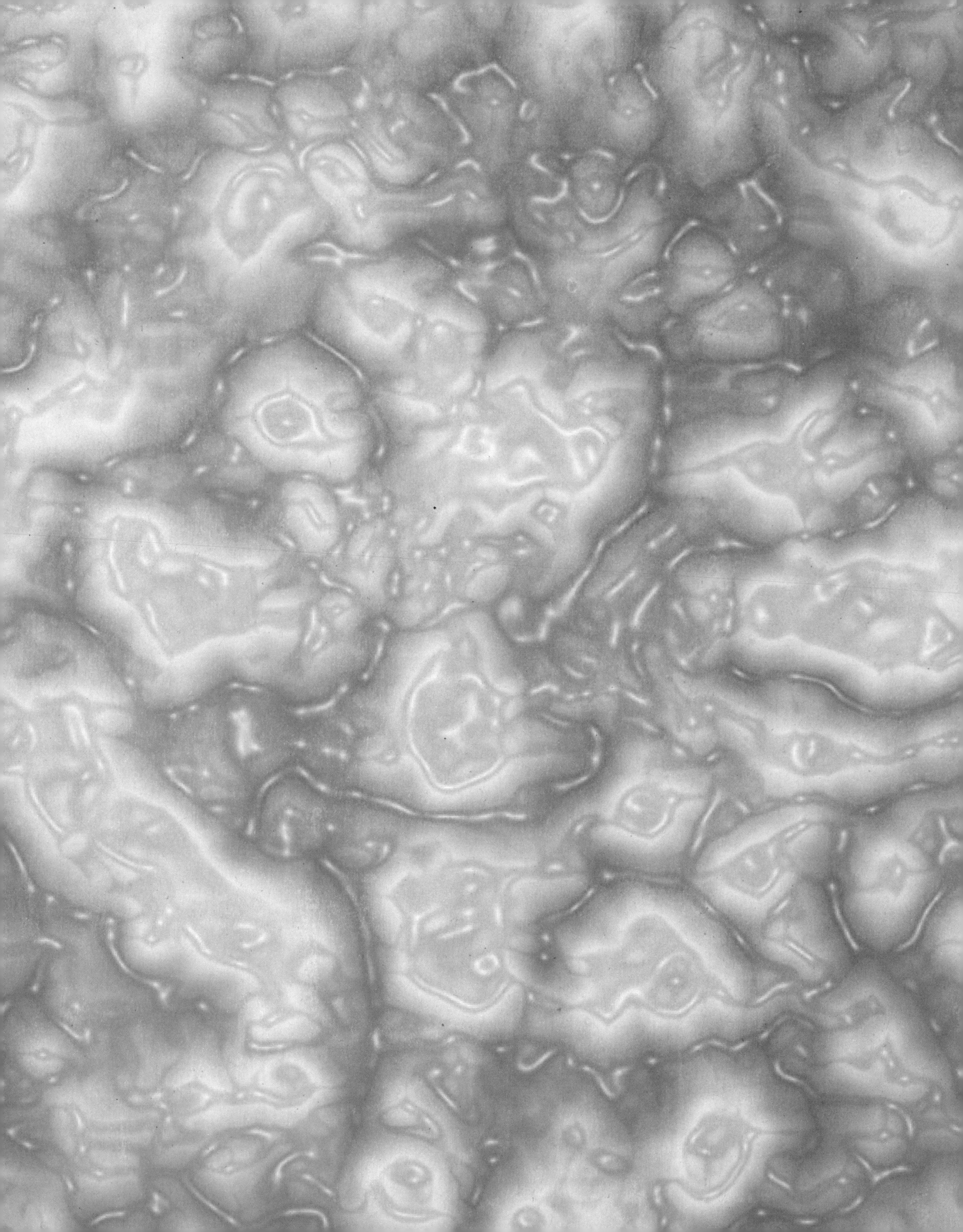

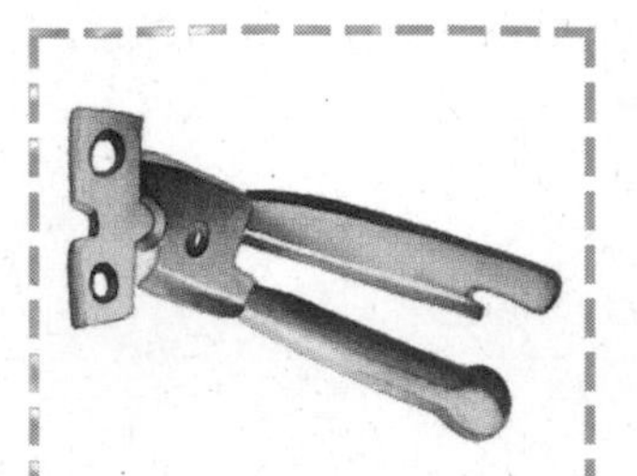

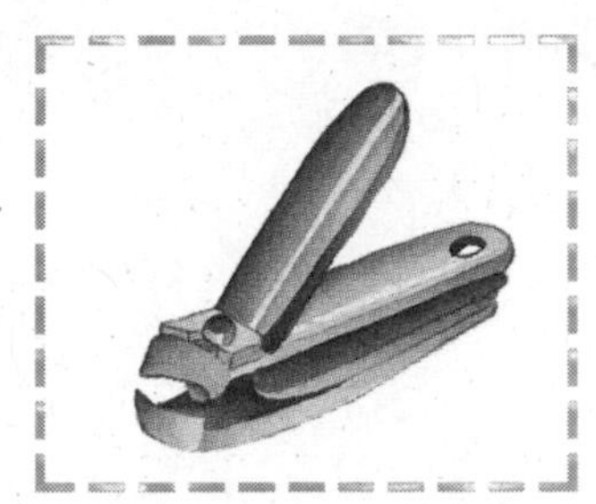

la ballena azul | es | la más grande de las ballenas

la orca | es | un mamífero marino

las ballenas | son | animales marinos muy inteligentes

las ballenas | son | los mamíferos más grandes

las ballenas grises | vienen a México | cada año

los delfines | juegan mucho con | los niños

Los piratas deciden enterrar el cofre con el tesoro, entre una palmera y una gran roca.

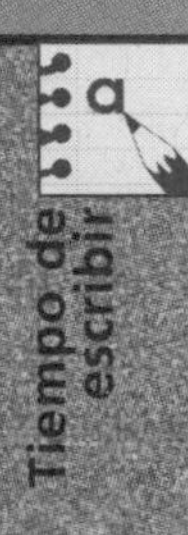

eeeeeeiiiiiii

jjjjjjllllllll

rrrrrrrrtttttttt

¡Basta!

	Personas	Animales	Frutas y verduras	Lugares	Cosas	Total
a						
b						

¡Basta!

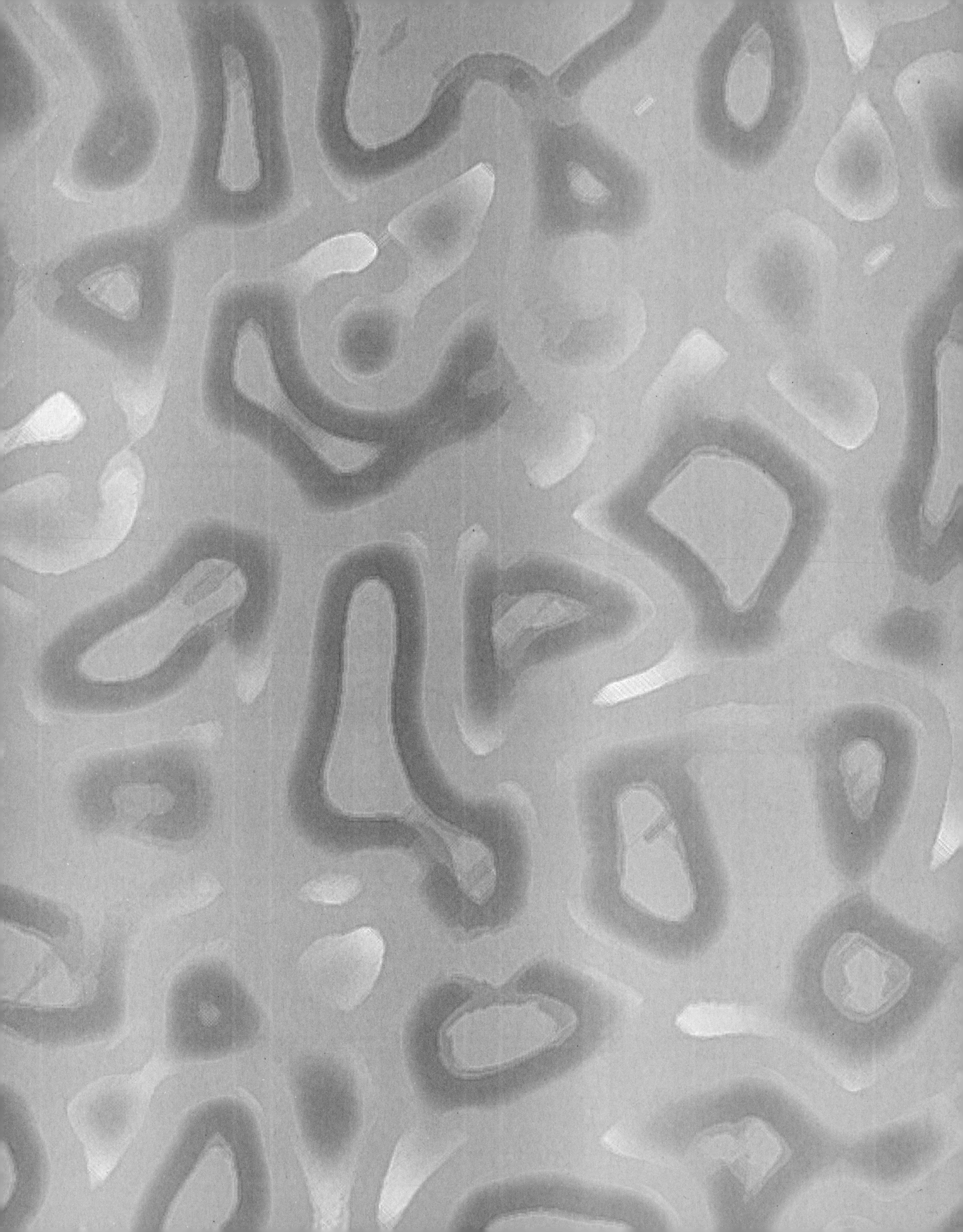

¡Basta!

	Personas	Animales	Frutas y verduras	Lugares	Cosas	Total

¡Basta!

Lupita	delicioso	amigos	
a	molcajete	chocolate	señora
regaló	en	amarró	la
mecates	con	caja	un

esa	Héctor	chocolates	
está	compró	La	molcajetes
mecate	ropa	salsa	los
en	El	Doña	sirve

petates	Pedro	Esos	
para	tiende	son	El
Petra	de	El	hace
el	acostarse	petate	María

aaaaaaaaabbb

cccdddfffgg

ghhkkooooo

ooossssssuuu

uuuvvvppppp

qqqxxyyyzz

eeeeeeeeeiiiiiiiii

[illegible] bbb

cccdddffffgg

ghhhkkkooooo

ooossssssuuuu

uuuvvvvpppp z

qqqxxxyyyzz

U V V W X Y

n n n n ñ ñ w F F

G G G H H I J J

A A B B C C K

D D E E m m m

L L N N m m m

P P Q S S T T

M M R R O O